à Lucie
Que la lumière
que vous êtes
rayonne sur tous
ceux qui vous rencontrent
et comble votre cœur!

Placide

L'ÉDUCATION
DE L'ÂME

**Catalogage avant publication
de Bibliothèque et Archives Canada**

Gaboury, Placide

    L'éducation de l'âme

    (Collection Spiritualité)

    ISBN 978-2-7640-1055-9

    1. Vie spirituelle. 2. Âme. 3. Gaboury, Placide.
I. Titre. II.Collection.

BL624.G32 2008   204'.4   C2007-942230-6

© 2008, Les Éditions Quebecor
Une compagnie de Quebecor Media
7, chemin Bates
Montréal (Québec) Canada
H2V 4V7

Dépôt légal : 2008
Bibliothèque et Archives nationales du Québec

Pour en savoir davantage sur nos publications,
visitez notre site : www.quebecoreditions.com

Éditeur : Jacques Simard
Conception de la couverture : Bernard Langlois
Illustration de la couverture : Veer
Conception graphique : Sandra Laforest
Infographie : Claude Bergeron

Imprimé au Canada

Gouvernement du Québec – Programme de crédit d'impôt pour l'édition
de livres – Gestion SODEC.

L'Éditeur bénéficie du soutien de la Société de développement des entre-
prises culturelles du Québec pour son programme d'édition.

Nous reconnaissons l'aide financière du gouvernement du Canada par
l'entremise du Programme d'aide au développement de l'industrie de
l'édition (PADIÉ) pour nos activités d'édition.

DISTRIBUTEURS EXCLUSIFS :

* Pour le Canada et les États-Unis :
  MESSAGERIES ADP*
  2315, rue de la Province
  Longueuil, Québec J4G 1G4
  Tél. : (450) 640-1237
  Télécopieur : (450) 674-6237
  * une division du Groupe Sogides inc.,
  filiale du Groupe Livre Quebecor Média inc.

* Pour la France et les autres pays :
  INTERFORUM editis
  Immeuble Paryseine, 3, Allée de la Seine
  94854 Ivry CEDEX
  Tél. : 33 (0) 4 49 59 11 56/91
  Télécopieur : 33 (0) 1 49 59 11 33

  **Service commande France
  Métropolitaine**
  Tél. : 33 (0) 2 38 32 71 00
  Télécopieur : 33 (0) 2 38 32 71 28
  Internet : www.interforum.fr

  **Service commandes Export –
  DOM-TOM**
  Télécopieur : 33 (0) 2 38 32 78 86
  Internet : www.interforum.fr
  Courriel : cdes-export@interforum.fr

* Pour la Suisse :
  INTERFORUM editis SUISSE
  Case postale 69 – CH 1701 Fribourg –
  Suisse
  Tél. : 41 (0) 26 460 80 60
  Télécopieur : 41 (0) 26 460 80 68
  Internet : www.interforumsuisse.ch
  Courriel : office@interforumsuisse.ch

  Distributeur : OLF S.A.
  ZI. 3, Corminbœuf
  Case postale 1061 – CH 1701 Fribourg –
  Suisse

  Commandes : Tél. : 41 (0) 26 467 53 33
  Télécopieur : 41 (0) 26 467 54 66
  Internet : www.olf.ch
  Courriel : information@olf.ch

* Pour la Belgique et le Luxembourg :
  INTERFORUM editis BENELUX S.A.
  Boulevard de l'Europe 117,
  B-1301 Wavre – Belgique
  Tél. : 32 (0) 10 42 03 20
  Télécopieur : 32 (0) 10 41 20 24
  Internet : www.interforum.be
  Courriel : info@interforum.be

Placide Gaboury

L'ÉDUCATION
DE L'ÂME

LES ÉDITIONS
Quebecor

Une compagnie de Quebecor Media

*Ce qui vous attend, c'est un lieu de
merveilles. C'est grand ce qui vous attend,
ce que nous avons préparé pour vous.*

– Les compagnons du ciel
(14 décembre 2005)

Première partie

Une plongée dans l'inconnu

Chronique d'un long détour

Il y a quelque temps, la vie m'a lancé dans la plus étrange des aventures, qui a bousculé ma façon de penser, mes habitudes et mes relations. Fortement poussé à quitter la ville où j'avais passé un quart de siècle, je me suis finalement retrouvé dans une campagne claire, paisible et vallonneuse – comme si je retournais aux paysages de mon enfance, après un très long exil. Il ne s'agissait pourtant pas, comme on va le voir, d'un simple déménagement de corps et de biens, mais d'un dépaysement de l'âme, d'une recherche qui allait s'avérer une épreuve de force et d'endurance.

Dans cette première partie, je résumerai d'abord les étapes de cette odyssée particulière, puis j'ouvrirai le dossier des dialogues entre mon associé Michel Nault, un groupe d'êtres invisibles, qui ont inspiré et dirigé le projet qui va se déployer tout au long de ce récit, et moi-même. Je parlerai enfin des activités offertes dans ce centre éducatif qui seront l'aboutissement de ces nombreuses et longues démarches.

Pendant 20 mois, Michel et moi avons reçu des instructions qui nous ont graduellement préparés à changer notre façon de voir, pour une perspective plus souple et plus ouverte. Au cours de cette période, nous étions en apprentissage intense, recevant des leçons de vie et de sagesse, que nous ne comprenions pas toujours au début. En effet, ce temps d'instruction nous formait simplement à l'œuvre future consacrée à l'éducation de l'âme, étant donné qu'on ne peut enseigner que si l'on demeure en apprentissage.

C'est du reste pour cette raison que ce livre s'intitule *L'éducation de l'âme*. Car si cet enseignement peut maintenant être donné, c'est justement parce que nous l'avons d'abord reçu et que nous continuons de le recevoir. En effet, au cours de ce périple imprévisible, nous avons compris que nous demeurons toujours des écoliers dans le monde spirituel. C'est pour cette raison que nous avons permis aux êtres de lumière de nous instruire, puisque cette connaissance ne pouvait venir que d'eux seuls.

Les contacts avec l'Invisible

Toutefois, l'ouverture à cette dimension supérieure n'a pas commencé avec les préparatifs immédiats de ce projet. Elle date en fait de 1978, l'année où j'ai renoué avec mon ancien professeur décédé, devenu dans l'au-delà mon mentor d'âme. Après 25 ans de ces dialogues par l'intermédiaire d'une première médium, celle-ci a dû cesser son travail pour cause de maladie. C'est ensuite Louise Lamoureux qui a pris la relève en 2003. Les données reçues depuis cette période sont consignées dans les ouvrages précédents, en particulier *Les compagnons du ciel* et *Le jour où la lumière reviendra* (Éditions Quebecor).

Cette inspiration continue qui parcourt mes quatre derniers ouvrages[1] éclaire celui-ci où nous retrouvons également le groupe principal qui guidera tout au long l'aventure qui remplit ces pages. Il s'agit d'abord de mon instructeur Lucien Hardy, de François d'Assise, de

---

1. Cela inclut également *Le livre de l'âme* et *Le pays d'après*, aux Éditions Quebecor.

Thérèse de Lisieux ainsi que des maîtres Jésus, le Bouddha et Imhotep, le sage savant constructeur de la première pyramide. Ce groupe s'appelle « l'Ensemble », car il agit comme un tout, de concert avec nous sur terre, et indépendamment du temps-espace, puisque Imhotep a vécu il y a 5000 ans, le Bouddha 2500 ans, alors que François est du Moyen Âge et Lucien du xxe siècle.

La naissance du projet

Depuis quelque temps, mon associé vivait dans le secteur ouest de Montréal où il s'était aménagé une sorte de fermette comprenant canards, poules, oies, en plus d'un lapin et d'un chien. Nous parlions souvent de nous établir un jour à la campagne, avec des animaux semblables où nous pourrions connaître une vie paisible. Avec le temps, je me suis mis à penser que ce serait également un endroit idéal pour continuer mon œuvre d'écrivain et de conférencier. Car je savais que celle-ci était loin d'être terminée, qu'en réalité c'était la part la plus importante qui me restait à accomplir. Or, comme les déplacements occasionnés par les conférences commençaient à me peser, nous avons pris la décision de nous établir éventuellement sur une terre et d'y ouvrir un jour un centre d'enseignement.

Il faut dire aussi que, depuis cinq ans, je vivais dans le dénuement : mes livres ne se vendaient guère, les conférences rapportaient de moins en moins, alors que le loyer augmentait graduellement, mangeant la meilleure part d'un trop maigre revenu. Plus question d'acheter des livres, de fréquenter cinémas et restaurants, de voyager ou de s'habiller – rien que le strict nécessaire. Et, bien sûr, il ne me servait à rien d'emprunter si c'était pour m'endetter toujours davantage !

Ce n'est pas que la situation comme telle me rendait malheureux, mais elle me gênait certainement dans mes activités. Car la pauvreté ne m'a jamais rendu triste ou amer. C'est même une expérience que je souhaiterais à chacun de vivre au moins une fois dans sa vie. Je me rappelais du reste ce fameux vœu de pauvreté prononcé en communauté[2], qui maintenant me faisait sourire, tout comme la supposée vie de foi que nous étions censés mener en tant que religieux pourtant bien nantis et dorlotés, alors que ce n'était là qu'enfantillage à côté de mon expérience actuelle…

Je sentais donc un urgent besoin de changement. Heureusement, mes désirs allaient rejoindre ceux de mon associé. Il faut savoir que c'est depuis 1999 que Michel m'assistait dans mes conférences et participait aux rencontres que j'avais avec l'au-delà. Après avoir élevé sa famille et traversé un pénible divorce – suivi d'une seconde union très réussie malgré le décès éventuel de sa conjointe –, il sentait lui aussi le besoin de changer d'air. Comme le monde invisible était au courant de tout cela – puisqu'il sait tout sur nous et veille sur notre croissance, même si nous l'ignorons ou refusons de le savoir –, il nous a assurés que nos conditions de vie changeraient si nous formulions clairement nos vœux, avec une conviction ne laissant place à aucun doute.

Mon association avec Michel n'allait donc plus être une simple collaboration à distance et clairsemée, puisqu'elle nous amènerait finalement vers le même lieu et la même réalisation. Ainsi, tout en me voyant moi-même m'établir un jour à la campagne pour y vivre et enseigner, il était de son côté pressé de quitter la ville pour vivre là où il pourrait s'entourer d'animaux. Comme nous

---

2. J'ai passé 34 ans chez les jésuites.

avions tous deux connu la vie de ferme pendant notre jeunesse – lui au Québec, moi au Manitoba –, nous étions très proches du monde animal. Aussi comptions-nous un jour bâtir une grange et construire des enclos pour des chevaux nains, des ânes, des canards et des poules...

Le choix de la Mauricie

C'est en Mauricie que j'avais le goût d'aller vivre et travailler. Toutes les régions qui m'étaient déjà connues – Charlevoix, Beauce, Cantons de l'Est, Laurentides – étaient soit trop chères, soit trop éloignées, alors que celle de Trois-Rivières était moins coûteuse et plus proche de Montréal et de Québec. Si nous n'avions pas encore de quoi acheter une ferme, même dans cette contrée pourtant plus abordable, nous savions toutefois que nos compagnons invisibles nous aideraient à réaliser notre projet, vu que c'était une œuvre spirituelle qui les impliquait tout autant que nous. Ils s'engageaient en effet à nous trouver la propriété idéale et à nous fournir les fonds nécessaires, nous assurant la continuité et la réussite de l'œuvre. Il suffisait que, de notre côté, nous fassions l'effort de chercher l'endroit promis, de croire fermement que tout se réaliserait en visualisant – avec dessins et par écrit – le produit final. Cependant, on ne disait rien quant au moment ou à la façon dont nous parviendrait l'argent. Nous étions plongés en plein inconnu, dans un univers de foi pure – le terrain idéal pour notre apprentissage.

Bien sûr qu'on pourrait nous prendre pour de grands naïfs, même pour des simples d'esprit, et sans doute avec raison si on s'en tenait aux façons habituelles de penser, c'est-à-dire dans les limites étroites de la raison et du bon sens. Toutefois, ce serait là une grave erreur, comme cela deviendra bientôt évident...

Si nos rêves ont commencé à germer dès novembre 2005, c'est surtout durant le mois suivant que nous nous sommes mis à parcourir en tous sens ce bout de pays qui nous était assez peu familier. Comme notre ami Louis-Paul connaissait très bien le sud de Trois-Rivières, il nous propose dès janvier 2006 de nous faire visiter les domaines à vendre qui s'y trouvent. (Quelle générosité et quel dévouement de sa part, nous en sommes grandement touchés !) Le mois passe donc à explorer cette campagne superbe, mais sans avoir trouvé l'endroit qui nous convenait. Il nous faut donc arrêter les recherches. C'est maintenant au tour d'une agence immobilière de nous faire connaître les fermes à vendre du côté nord. On nous en propose trois.

Un dénouement imprévu

Une chose bien étrange se produit alors. Notre médium, Louise, qui était allée recevoir des traitements d'eau pour son arthrite, raconte à une autre patiente que ses amis (nous) cherchent une fermette comprenant boisé, ruisseau et grands espaces, avec l'idée de s'installer dans la région. Au moment même, une troisième dame, que nous appellerons Jocelyne, les entend discuter et, s'approchant de Louise, lui annonce que sa propriété répondrait parfaitement à nos désirs. Louise note son numéro de cellulaire qu'elle nous transmet le lendemain.

Comme nous avions promis à l'agence de visiter les trois terres du nord, nous décidons, pour en être quittes, de faire tout d'abord un tour à l'adresse indiquée par Jocelyne, sans vraiment y croire. Eh bien, en arrivant sur les lieux qui longeaient une voie tranquille ouvrant sur des champs de culture, nous découvrons que c'est justement la merveille que nous attendions !

Nos amis d'en-haut avaient déjoué nos attentes : cette demeure n'était pas sur notre liste, et pourtant c'est elle qui semblait nous être destinée. Tout cela avait des allures d'accident fortuit. Pourtant, on était en train de nous dire que tout ce qui arrive de façon incompréhensible fait bel et bien partie du dessein universel, et qu'il n'y a ni accident ni hasard sur le plan divin. Tout semblait se faire spontanément, comme indépendamment de nous, à notre insu pour ainsi dire. C'est ce que nous n'avions pas prévu qui arrivait comme si c'était parfaitement prévu. Le monde invisible déjouait notre logique, pour faire appel à une raison supérieure, à une intelligence qui se passait de logique et dépassait le simple bon sens.

Mais attention, la façon de faire de nos amis allait aussi nous jouer de bien mauvais tours…

Un autre événement troublant

Ainsi donc, le 25 janvier 2005, nous voici devant un domaine dont l'énergie, la lumière et le silence sont saisissants. Devant la maison spacieuse, un champ immense réservé à la culture de l'avoine s'étend jusqu'à la limite d'un grand bois. C'était comme on nous l'avait promis : une merveille. Cette maison d'une dizaine d'années est l'œuvre solide du propriétaire, que nous appellerons Robert. Devenue trop grande après le départ des enfants et difficile d'entretien pour une épouse souffrante, le ménage décide d'aller se bâtir ailleurs en plus petit. De notre côté, il est clair que c'est l'endroit qu'il nous faut. Bien que nous n'ayons pas encore les fonds, nous pensons qu'ils nous arriveront bientôt.

Le 29 janvier, nous retournons à la ferme où il se passe encore quelque chose d'apparemment inexplicable. Notre médium qui nous accompagne se montre aussi extasiée que nous devant la beauté des lieux. Nous visitons avec elle la maison, nous buvons le thé en compagnie des propriétaires. Robert, voulant vendre à tout prix, s'empresse de me montrer sur papier les avantages de la maison et du terrain ainsi que les meubles qu'il est prêt à nous laisser. Puis, doucement, il me glisse la feuille en bas de laquelle un pointillé attend la signature…

Je signe sans me rendre compte de ce qui se passe vraiment. (Il fallait être complètement inconscient pour faire un tel geste, me direz-vous ! Toutefois, vous verrez plus loin qu'il y avait un sens caché à cette signature dont je n'étais pas conscient à ce moment.) Michel et Louise, qui me voient faire, sont complètement médusés, d'autant plus que le premier versement doit avoir lieu dans la quinzaine ! Il n'y avait rien à comprendre et il m'a fallu quelque temps pour retrouver mes sens.

Comme nous le verrons, l'erreur n'était pas tant d'avoir signé, mais surtout de croire que l'argent allait arriver d'un seul coup et au moment désiré. Car nous pensions, bien sûr, à la loterie, croyant que c'était le moyen le plus évident de disposer immédiatement d'une large somme. Toutefois, nous faisions erreur : l'argent devait venir sans que nous sachions comment ni à quel moment. C'est cette ouverture qui nous manquait – une confiance sans y mettre de conditions, sans exiger que ce soit selon nos attentes ou nos calculs.

Une maison qui attend longtemps

Comme il était prévisible, j'ai dû appeler le propriétaire quelques jours plus tard pour lui annoncer que l'argent attendu n'était pas encore arrivé. Je lui parle d'un héritage pour lequel il y avait eu des complications, comme cela se passe souvent dans ces situations… (Ne pouvant dire la vérité, il nous fallait au moins dire le vraisemblable ! C'est, du reste, la tactique que nous avons suivie pendant tous ces mois d'attente, même auprès de nos amis.)

Le pauvre Robert était, avec raison, complètement atterré – il avait désormais la responsabilité de deux maisons, celle-ci et l'autre qu'il construisait. Nous étions vraiment peinés pour lui et bien décidés à le compenser une fois la ferme payée. Cependant, pour le moment, il n'y avait rien à faire, sauf lui envoyer de bonnes vibrations, de l'énergie et du courage. Voyant sa grande déception, je lui suggère de mettre sa maison en vente officiellement, avec une pancarte d'agence immobilière, ce qu'il avait omis de faire dans notre cas. Il est tout à fait d'accord, mais quelques mois plus tard, il m'annonce que rien n'a encore changé à cause de l'incompétence de son agent, croyait-il. Toutefois, on nous avait dit qu'il n'arriverait pas à vendre autrement qu'à nous.

En effet, neuf mois plus tard, alors que l'argent n'était pas encore dans nos mains, nos amis invisibles nous expliquent ce qui s'était passé lors de la signature. Mon mentor, Lucien, m'avait plusieurs fois répété que la maison ne pourrait se vendre à d'autres qu'à nous, mais nous ne comprenions pas pourquoi. Eh bien, c'était justement à cause de cette signature : il avait signé avec moi (pour ne pas dire à ma place), ce qui explique mon état de transe à ce moment-là. Je n'étais pas tout à fait présent, alors que Lucien l'était pour deux ! En signant donc, notre énergie avait imprégné les lieux, au point que la maison nous serait désormais normalement destinée.

De dures leçons à apprendre

Ainsi, en utilisant l'urgence qui pressait Robert de vendre au plus tôt, Lucien avait pris possession des lieux, mais sur le plan énergétique seulement. Du reste, même après neuf mois, la pancarte se trouvait toujours devant le parterre de la maison. Robert avait commis l'erreur de vouloir vendre en toute hâte – nous pouvions normalement demander un délai de 90 jours avant de signer une promesse d'achat –, mais cette erreur nous avait permis d'en prendre pour ainsi dire possession, à son insu naturellement.

Or, nous aussi voulions aller trop vite et, surtout, faire que les choses arrivent à notre façon. Il y avait là pour nous une autre leçon : que nos erreurs ne soient pas perçues comme telles de l'autre côté, mais simplement comme des occasions d'apprendre et de croître. Tout était affaire de perspective, et c'était la nôtre qu'il s'agissait de changer.

Après cette première déception, la période d'attente qui allait suivre se prolongerait bien au-delà d'une année. On nous disait qu'au lieu d'imposer la façon dont on voulait recevoir l'argent, il fallait se détendre et voir tout cela comme un jeu. Nous étions en effet tendus, impatients et passionnés, alors que les deux conditions essentielles pour que la transaction réussisse, « selon le plan divin qui est toujours parfait », étaient la joie et le lâcher-prise. En somme, on nous disait de nous occuper de notre part de l'entente – en exprimant nos désirs tout en restant réceptifs – pour que les agents invisibles puissent agir en toute liberté.

En attendant, nous étions encouragés à visiter les lieux et à nous familiariser avec les énergies des environs.

Nous pouvions visiter les marchands de meubles, de véhicules et d'animaux. Nous allions voir «notre ferme» et prendre le café dans la région, mais discrètement. En effet, même avec nos amis de longue date, nous devions user d'astuce pour ne pas dévoiler notre aventure avant son étape finale, tellement elle était incroyable et un peu folle. Nous avions même fini par éviter d'en parler, ce qui a grandement réduit nos sujets de conversation ainsi que nos relations, nous permettant cependant de rester concentrés sur la tâche présente.

Pourtant, si nous ne croyions plus à la voie des loteries, nous étions encore convaincus que l'argent nous viendrait d'une seule personne, soit par un donateur anonyme (une voie qui était évoquée par nos guides), soit par un bienfaiteur qui nous remettrait la somme en mains propres. Cela nous permettrait des coudées franches, c'est-à-dire une indépendance financière complète. Toutefois, c'était là encore une autre fausse piste qu'il nous faudrait éventuellement abandonner.

L'argent viendra autrement

Puis, nous apprenons que la somme requise (200 000 dollars) viendrait d'une tierce personne et d'une façon tout à fait banale : quelqu'un se mettrait en frais de recueillir des fonds ! Cela signifiait que nous n'aurions pas dès le début la somme globale que nous attendions et qui nous aurait permis de nous installer immédiatement et confortablement. Que de souplesse il faut dans les contacts avec le monde des âmes ! Tout nous vient toujours de la meilleure façon possible et dans les temps qui nous sont les plus propices, même si nous ne sommes pas d'accord.

L'argent viendrait donc en petites portions, sous forme de dons provenant de personnes généreuses – ce qui, bien sûr, n'était pas du tout ce qui était envisagé. Nous ne voulions dépendre de personne, alors que finalement tout allait se faire en groupe. Ce serait une aventure collective, engageant de plus en plus de monde.

Alors, pourquoi n'avoir pas fait comme tout le monde, me direz-vous, c'est-à-dire y aller avec vos propres moyens sans recourir au monde invisible ? C'est bien simple, nous étions sans le sou, sans disposition pour les collectes de fonds ou pour les affaires en général. De toute façon, nous étions décidés à suivre cette voie, et cela ne s'explique ni ne se comprend à moins d'être « dans le bain ».

La tierce personne choisie par les âmes de lumière pour nous aider à réaliser le projet serait un de mes amis, un avocat que je voyais de temps à autre – un homme généreux, intègre en plus d'être un financier astucieux demeuré cependant ouvert au domaine spirituel. C'est lui qui m'avait souvent dépanné quand je manquais d'argent. Toutefois, jamais je n'aurais pensé lui demander de prendre en main notre projet – je n'aimais pas dépendre de quelqu'un à ce point. Je ne pouvais donc penser qu'il serait mêlé de près ou de loin à notre folle aventure ; pourtant, c'était le choix le plus évident. On nous avait déjoués encore une fois en nous montrant que l'évidence nous échappait, puisque ce qui nous était caché contenait la réponse recherchée. Comme le disaient les compagnons du ciel : « Vous n'étiez pas prêts à le voir. »

Ce n'est pas par accident que je connaissais depuis quelques années quelqu'un de cette qualité. En effet, selon moi, il n'y a pas d'accident, seulement des moments d'aveuglement qui se transforment en évidences, tout comme les épreuves cachent des leçons insoupçonnées et les semences, une vie silencieuse et cachée.

Je devrais donc une fois encore changer d'attitude et accepter désormais de recevoir. Oui, recevoir les témoignages de gratitude de ceux à qui j'aurais par le passé rendu un service à mon insu. En effet, on nous apprenait que cet avocat, que nous appellerons Jean, m'avait été redevable dans une vie antérieure et que c'est maintenant qu'il comptait exprimer sa reconnaissance, en recueillant les fonds nécessaires à notre entreprise. Comme quoi rien n'arrive pour rien, tout étant relié – entre les vies, entre les âmes, entre les destins. C'était une bonne leçon à réapprendre. Toutefois, n'est-ce pas toujours ainsi que se fait la croissance de l'âme : on passe de l'ignorance à la connaissance, de l'oubli au rappel, des ténèbres à la lumière ?

Je quitte Montréal

Une fois établi que Jean, notre ami avocat, allait s'impliquer dans notre projet, je décide de quitter Montréal pour m'installer chez Michel qui logeait dans un sous-sol à quelque 20 minutes de la ferme convoitée. Comme nous savions que l'attente serait longue, j'ai emporté des effets personnels, sauf bien sûr le piano, de même que le lit, qui a été remplacé par un futon à même le sol.

En quittant la ville, je cessais par le fait même de donner des conférences et de garder contact avec mes amis de la région : je coupais les ponts avec le passé. À l'avenir, mes relations seraient différentes, centrées plutôt sur les activités du prochain centre. Comme on nous promettait que beaucoup y afflueraient, je me sentais comblé par cette perspective. Je voulais vraiment recommencer en neuf et entrer dans une nouvelle phase de ma vie, sans doute la plus importante.

Jusqu'à ce moment-là, j'étais allé quelques fois passer un week-end à Saint-Boniface où demeurait Michel, prenant goût petit à petit au silence, à la beauté du paysage, aux ciels étoilés, à la forêt innombrable. Les gens y semblaient plus près de la nature, de leurs enfants et des animaux. Je retrouvais là quelque chose de tout à fait naturel et qui m'avait grandement manqué depuis les deux années passées à la campagne près de Cowansville dans les Cantons de l'Est (en 1983). Cette fois, j'étais vraiment déterminé à ne plus retourner vivre à Montréal.

L'attente interminable

Et que faisions-nous de nos journées pendant tous ces mois d'attente ? Tout d'abord, nous tâchions de conserver la joie et la confiance, ce qui, dans les circonstances, n'était pas une mince affaire. Puis, nous passions une bonne part du temps à lire, à écrire, à regarder des films (des centaines de films !), à marcher, à visiter les environs – rangs colorés, fermes bien tenues et champs aux allures variées. Michel faisait ses emplettes dans les marchés locaux et, deux fois par jour, nous allions prendre le café ou le thé quelque part. Malgré tout cela, nous nous sentions désœuvrés et inutiles, tellement nous avions hâte d'embarquer dans l'œuvre passionnante qui nous attendait.

Un intermède médical

Un imprévu allait de nouveau retarder le projet. Depuis quelques jours, je commençais à reconnaître dans ma poitrine et mon bras gauche les symptômes d'angine qui, en 1992, m'avaient conduit à l'hôpital pour une opération de six pontages. Comme je ne voulais surtout pas repasser par là, j'attendais avant d'en parler, espérant que les douleurs cesseraient d'elles-mêmes. Au contraire, elles augmentaient. Si bien que le 21 novembre 2006, j'appelai mon médecin pour une consultation d'urgence. (Je devais de toute façon me rendre à Montréal le lendemain pour y donner une conférence.) Sa secrétaire me trouva presque aussitôt une place pour le matin du 22, le jour même de la conférence. C'était là tout un exploit, quand on connaît la difficulté d'atteindre les médecins ! Donc, le 21 au soir, je pris l'autocar pour Montréal, puisque Michel ne devait arriver que le lendemain en voiture.

Or, durant tout ce temps, je demeurais dans la paix et dans un abandon intérieur complet.

Le 22 au matin, je me présentai chez le docteur Bertrand, avec l'idée bien arrêtée d'obtenir de la « nitro » qui me permettrait de tenir pour la journée, quitte à revenir à l'hôpital en fin de soirée. Toutefois, il opposa un refus net : « Pas question que vous quittiez l'hôpital aujourd'hui. » Très déçu, je me débattis du mieux que je pouvais : « Mais docteur, savez-vous qu'il y a 300 personnes qui m'attendent ce soir à une conférence que nous préparons depuis des mois ? » Rien à faire : on me conduisit sur-le-champ aux urgences. Après trois jours, on découvrit que le pouls était très faible et que cette faiblesse était reliée à l'attaque d'angine. De fait, après plusieurs examens, piqûres et traitements, on se rendit compte que l'artère partant de la cuisse droite – la fémorale – était complètement bloquée au niveau du cœur. On prit alors la décision – avec mon consentement écrit, puisque la coronographie est une intervention risquée – de m'opérer pour débloquer l'artère où se trouvait la cause du mal, soit dans le cœur. Le lendemain eut lieu cette opération qui fut effectuée par deux chirurgiens pleins d'énergie et qui réglèrent tout en 90 minutes. La réussite fut si spectaculaire que le lendemain on me donna mon congé. En tout, le séjour avait duré exactement une semaine.

Et pourtant, tout au long de ces événements, la joie ne m'avait pas quitté un seul instant…

Michel vint ensuite me ramener à la campagne – affaibli, ralenti, mais guéri. Quelques jours après, nous arrivait par courrier un court message, capté par une médium pendant mon hospitalisation. C'était la petite sainte Thérèse de Lisieux qui m'assurait de son aide et de son encouragement, tout comme elle l'avait fait à mon insu lors de l'opération de 1992[3].

C'est ce message que la médium Marjolaine Caron cherchait à me communiquer, sans savoir comment me trouver. Qu'à cela ne tienne ! Lors d'une visite au Salon du livre qui se tenait à ce moment-là à Montréal, elle rencontre une de mes amies, Louise C., au kiosque des Éditions Quebecor où se trouvent mes livres. Elle ne connaît pas Louise, mais cette dernière sait comment me joindre à la campagne, sans pourtant savoir que je suis à l'hôpital. La médium lui confie donc le message et celui-ci arrive à bon port quelques jours plus tard !

Encore une fois, je constate qu'il n'y a pas d'accidents : ce qu'on penserait être ici pure coïncidence était en réalité une stratégie finement ourdie par les amis invisibles. Et ce que nous appelons hasards et coïncidences nous montre simplement que nous ne savons pas lire. C'est comme si on ne regardait que le dessus d'une tapisserie – ce qui paraît – en ignorant complètement le dessous invisible, alors que c'est là que tout se trame.

---

3. Voir le dialogue avec les invisibles le 1er décembre 2006 (page 91).

Mais pourquoi diable cet intermède médical au moment où l'attente était déjà si longue et éprouvante ? Pour le savoir, le lendemain de mon retour, nous sommes allés écouter nos amis du ciel. Ils nous ont dit tout d'abord combien ils avaient répondu avec énergie et dévouement à l'appel que nous leur avions lancé. Ces compagnons invisibles incluent, bien sûr, ma famille trépassée qui avait elle aussi grandement travaillé pour que tout se passe bien[4]. C'est en effet grâce à tous ces êtres que le médecin avait pu me recevoir le jour même où je devais me rendre en ville, que les cardiologues ont si bien et si rapidement cerné la cause du mal et que les chirurgiens ont pu réussir aussi admirablement leur incursion dans le cœur pour y débloquer une artère et y loger un appareil de sûreté !

> Je suis toujours étonné de voir combien nos malades se plaignent des services rendus dans les hôpitaux, d'autant plus qu'ils n'ont rien à payer, alors qu'aux États-Unis, tout cela coûterait des milliers, voire des centaines de milliers, de dollars. J'ai moi-même passé du temps dans les hôpitaux du CHUM – 40 jours à l'Hôtel-Dieu en 1983, 30 à Notre-Dame en 1992 et 10 à Saint-Luc en 1998 – et je peux témoigner de la gentillesse, de la bonne humeur et de l'efficacité des infirmières et des médecins. J'ai pourtant connu les attentes dans le corridor, les séjours prolongés en urgence au milieu d'un tintamarre continuel, et je n'ai que reconnaissance et admiration à adresser à toutes ces personnes qui se dévouent dans des conditions

---

4. J'ai senti particulièrement la présence de Gabriel, le plus proche de mes frères. Sur terre, il avait rêvé de devenir médecin pour guérir mon père souffrant d'angine. Eh bien, c'est sur moi qu'il a déversé ses énergies guérisseuses, et justement à l'occasion d'une attaque d'angine.

> aussi difficiles. Jamais je n'ai entendu une infirmière
> se plaindre de son état ; ce sont les bénéficiaires – les
> malades – qui se plaignent comme des enfants gâtés.
> On dirait que les gens d'aujourd'hui manquent de
> force et d'endurance, comme si, depuis quelque temps,
> ils étaient devenus un peuple de faibles.

C'est après nous avoir dit combien ils se sont souciés de moi que les êtres de lumière ont expliqué le délai à ce moment particulier. En effet, il fallait avant tout s'assurer que je serais en pleine forme pour l'œuvre immense qui nous attendait. Or, ce délai nécessaire coïncidait avec un autre qui l'était cependant moins, et qui concernait notre ami l'avocat. Pendant mon hospitalisation, j'ai appris justement qu'il ne semblait pas encore prêt à s'impliquer dans notre projet. Comme son retard devait être respecté, de même que mon malaise traité d'urgence, ces délais allaient normalement s'inscrire dans le déroulement du plan divin. Bien sûr, nos amis invisibles nous avaient également assurés qu'ils allaient « brasser » l'avocat pour qu'il se mette à l'œuvre au plus tôt, tout en respectant sa disponibilité.

Retour à la vie ordinaire

Cet intermède médical ayant pris fin, nous pouvions reprendre notre route, avec une conviction accrue. Nous étions prêts à réaliser avant tout ce plan divin, qui incluait naturellement ces imprévus et nombreux retards. De mon côté, revenu à la campagne, j'allais adopter un rythme plus lent, avec davantage de détente et une diète ajustée à mes besoins. Quant à Michel, il a été, pendant cet épisode, encore plus admirable qu'à l'habitude – tant par sa générosité que par ses attentions délicates. Du reste, il n'a jamais cessé de se donner de tout cœur à tout ce qu'il entreprenait. Il était pour moi comme un ange gardien.

Tout s'était si bien déroulé qu'après quelques jours seulement, on se retrouvait bien en selle, avec la certitude renouvelée que ce qui avait été projeté et choisi était déjà réalisé – un peu comme le cadeau de Noël emballé et bien en vue sous l'arbre et dont l'enfant, malgré sa gourmandise, ne pourra prendre possession que le jour prévu et tant attendu ! Ce fut dans une atmosphère de détente et de beauté que j'ai pu commencer à me sentir assez bien pour écrire mon prochain livre – celui que vous tenez présentement !

Un autre deuil

Un événement imprévu allait de nouveau briser la monotonie de notre vie. Michel devait finalement perdre sa chienne Ice qui l'avait accompagné pendant 14 ans. Depuis son opération pour le cancer, il restait à l'animal une année à vivre selon le vétérinaire, mais elle avait déjà dépassé de six mois la période allouée. Comme ses métastases se propageaient rapidement, on a dû la faire euthanasier. Michel s'y attendait, mais pas aussi rapidement. Pourtant, les amis de lumière lui avaient bien indiqué que le temps était venu d'accueillir sa chienne parmi eux. Il l'amena donc en clinique alors que j'étais parti pour la ville. Tout s'est bien passé pour elle – elle nous a quittés dans la douceur. Mais Michel a trouvé ça dur.

Si nous nous attachons à ce point à nos animaux de compagnie, c'est sans doute que leur amour est inconditionnel, alors que celui des humains ne l'est presque jamais. Il y a en effet chez ces êtres quelque chose qui rappelle l'accueil de l'immense nature qui regorge de générosité et de joie. Du reste, je suis convaincu qu'ils sont là pour nous apprendre à nous ouvrir à la dimension invisible.

Comme Michel ne se voyait pas attendre tout l'hiver pour se trouver un autre animal de compagnie, nous avons décidé, dès le 20 décembre, de faire une visite à la Société protectrice des animaux. Et, bien sûr, une petite chienne labrador de neuf mois nous attendait. Ce fut un coup de cœur tel que nous sommes revenus la chercher le lendemain. Elle s'appelle Daisy, un animal à la fois très énergique et débordant de tendresse. C'était en fait la vie qui recommençait !

Un exercice d'assouplissement

On avait maintenant une nouvelle compagne, aussi émotive qu'active, qui faisait ses besoins à des heures insolites. Ce qui assurait à Michel un surcroît de travail et de soucis : il devait passer des heures à laver draps, tapis et coussins d'auto. Comme il n'avait pas de laveuse, il devait parcourir des kilomètres pour se rendre à la buanderie publique. Tout cela était imprévu. On voyait bien que ce n'était pas une bonne idée d'élever un chien en plein hiver, mais comme il fallait maintenant faire face à la situation, nous nous sommes inscrits à un cours de dressage pour une durée de huit semaines.

À la fin de cette période, Daisy, maintenant âgée de 11 mois, comprenait assez bien les mots clés tels que « au pied », « assis », « reste », « non » et, bien sûr, « bon chien » après un geste réussi. Ce fut là une aventure qui nous a gardés à la fois jeunes et souples et qui, du reste, faisait partie de notre propre entraînement.

Un autre délai

Comme nous pensions que les amis du ciel s'arrangeraient pour que Jean, l'avocat, trouve les fonds nécessaires à la fondation du centre projeté, nous étions plutôt déconcertés d'apprendre que cela n'allait pas suffire – il faudrait nous impliquer en allant nous-mêmes le rencontrer pour qu'il se mette une fois pour toutes au travail. Je l'ai donc appelé pour fixer un rendez-vous dans un restaurant de Montréal. Comme il était fort occupé, il m'a demandé de retarder la rencontre d'une dizaine de jours. Bon, encore un délai. Lorsque le jour désigné est arrivé, une importante tempête de neige a paralysé la ville, de sorte que nous avons dû remettre de nouveau l'événement. Toutefois, nous savions maintenant, après tous ces ralentissements et mystérieuses attentes, que ce délai, pas plus que les autres, n'était un accident. Il s'inscrivait harmonieusement dans « ce plan divin qui est toujours parfait ». Il s'agissait en effet de nous rendre si maniables que toute situation, tout obstacle, toute contrariété devait nous paraître une chose naturelle et entendue. Une autre leçon à apprendre, tout simplement.

Finalement, la rencontre a eu lieu et avec grand succès, comme j'en étais assuré d'avance non seulement en raison du soutien et de l'encouragement des êtres de lumière, mais aussi en raison de notre certitude que tout était déjà réalisé sur un certain plan. Cela évoquait encore ce cadeau de Noël que l'enfant voit emballé sous l'arbre sans pouvoir encore s'en emparer...

Déménagements

À la fin de février, je décide de faire venir de Montréal le reste de mes effets personnels. Le piano est déposé dans notre logement – un sous-sol – et le reste est entassé dans un entrepôt local. Même si je n'avais pas fait de musique depuis six mois, je ne m'attendais pas à pouvoir jouer à ma guise dans un lieu qui n'était pas insonorisé, avec, au-dessus de nous, une propriétaire qui, tout en nous écorchant les oreilles de ses pas d'éléphant, nous défendait de faire le moindre bruit. On devait guetter le moment où elle s'en allait pour nous laisser souffler un peu.

Avec l'arrivée du piano, l'achat d'une laveuse et d'un congélateur d'occasion, notre espace nous semblait avoir rapetissé. Pour y remédier, nous nous sommes débarrassés de plusieurs boîtes de vêtements, de couvertures et de livres qui encombraient la place. Nous respirions mieux, mais c'était toujours une situation inquiétante – comme si nous étions assis entre deux chaises.

Un événement étrange

Quelques jours plus tard, nous allons faire un petit tour du côté de la ferme que nous attendons. Nous nous arrêtons sur la route longeant la maison pour admirer un peu le paysage, lorsque nous apercevons venir vers nous deux hommes en trench-coat et chapeau noirs qui s'avancent lentement. Leur allure étrange rappelle les deux héros du film *Men in Black* (*Hommes en noir*). Toutefois, en remontant dans notre voiture, nous nous rendons compte qu'ils sont disparus : aucune trace de pas dans la neige des deux côtés de la route, que ce soit vers le bois ou le champ. Tout ça nous paraît vraiment bizarre et pour le moins inexplicable.

Le 4 mars, lors d'une visite chez notre médium Louise, nous demandons à François d'Assise s'il avait quelque chose à voir avec ce curieux incident. Eh bien, oui, les deux figures mystérieuses dont on ne voyait pas le visage étaient bel et bien François lui-même et Lucien, mon mentor. Du reste, cette apparition – car c'en était une – coïncidait avec une autre matérialisation d'une douzaine de pièces de 10 cents éparpillées sur le plancher de la cuisine ! Tout cela pour nous dire que oui, nos amis, bien qu'invisibles, étaient vraiment très présents avec nous et bien impliqués dans l'œuvre projetée. Ils nous disaient aussi que tout cela n'était qu'un jeu et qu'il ne fallait rien faire avec attachement ou intensité, mais demeurer souples et enjoués !

De bonnes nouvelles

Il y a quelques jours, nos inspirateurs invisibles nous ont dit que Jean allait bientôt rencontrer les personnes qui mèneraient à terme la collecte de fonds et que cela aurait un grand succès. Eh bien, le 29 mars – exactement 14 mois après la fameuse promesse d'achat signée le 29 anvier 2006 –, l'avocat nous annonce qu'il a enfin commencé ses rencontres et que l'événement était, selon ses propres paroles, « une réussite extraordinaire ». Il disait également que le coût de l'achat (200 000 dollars) serait réduit et que la somme dont nous disposerions pour l'ameublement intérieur et extérieur de notre propriété serait du même coup augmentée. Il était plein d'enthousiasme lors de son appel et son ton montrait une grande confiance, même une certitude de parvenir à un dénouement rapide. Du reste, notre ami était ouvert à l'idée que les êtres de lumière jouaient ici un rôle très important. Ceux-ci nous ont également dit que la troisième pancarte d'agence immobilière qui venait d'être placée devant la maison promise avait été rendue invisible, grâce à leurs bons soins, pour les clients.

Le coup de massue

Eh bien, ce qu'on ne s'était pas permis d'imaginer et qui serait trop inadmissible à envisager s'est finalement produit : la propriété attendue et contemplée avec tant d'enthousiasme et de persévérance pendant 18 mois nous a échappé d'un seul coup !

La chose s'est produite un beau samedi matin du 12 mai 2007. Nous déjeunons avec notre médium Louise et une autre amie, Céline, au milieu de grands éclats de rire et, comme toujours, dans une belle complicité. Après quoi, Louise retourne à ses occupations et nous procédons à la visite de la ferme qui est à la veille de nous appartenir si Jean y met la main. Toutefois, en arrivant devant la maison, nous restons le souffle coupé : la maison venait d'être vendue et déjà deux camions s'affairaient à déménager des meubles ! Le propriétaire en avait eu assez d'attendre – et je le comprends – et avait dû vendre au premier venu.

Complètement engourdis sous le choc, nous retrouvons immédiatement Louise pour qu'elle se branche aux êtres de lumière afin qu'ils nous éclairent sur ce qui se passe. Nous apprenons aussitôt que nos amis invisibles sont sous le choc comme nous, mais ils nous rassurent sans tarder : « Ne pensez pas que c'est un retour à la case départ. Ce qui va venir est encore mieux que ce que vous attendiez, beaucoup mieux à tous points de vue[5]. »

---

5. Dans la consternation générale, on a oublié d'enregistrer cette rencontre !

Volte-face et nouveau départ

D'un bond, je me ressaisis. Je leur demande en hâte : « Que devons-nous faire maintenant ? » À quoi ils répondent : « Parlez dès que possible à votre ami avocat, et tout va aller en s'accélérant. »

Pourtant, il ne servait à rien d'appeler Jean, à moins d'avoir tout d'abord trouvé une autre propriété à acheter dans les plus brefs délais. En effet, comme il demeurait à Montréal, il ne pouvait faire ce travail tout en recueillant des fonds (que nous le supposions en train de faire). Or, c'est justement cette situation que nos amis avaient prévue : ils nous ont inspirés à regarder des dépliants d'agences immobilières pour découvrir la demeure que nous croyions encore une fois nous être réservée – ce qui se produira cinq jours plus tard, le matin du 17 mai.

Pour l'instant, une fois revenus dans notre sous-sol, Michel, qui a ressenti plus fortement le choc, prend le temps de digérer tout ça et de retrouver ses esprits. De mon côté, je fouille dans les dépliants à la recherche d'un autre endroit. Il était toujours entendu qu'on voulait vivre dans la région de la Mauricie. À la suite de mes recherches, plusieurs possibilités s'offrent à nous, mais une seule attire notre attention : il s'agit d'une ferme ayant une belle allure et comprenant un grand boisé (rempli de pins), un ruisseau, une grange et un terrain de 62 000 pieds carrés. Cependant, la maison – un bungalow – était très petite. Notre enthousiasme était revenu.

Le soir venu, Michel appelle l'agent immobilier pour lui demander de visiter la propriété avec nous, ce qui se fait le lendemain, le 13 mai, jour de la fête des Mères ! Ce fut bien sûr l'enchantement devant la grandeur et la noblesse des arbres et du domaine dans son ensemble.

Tout un coup de cœur et un coup d'œil magnifique ! Nous avions déjà oublié le drame précédent où, dans notre enthousiasme aveugle, nous avions misé avec gourmandise sur un terrain qui nous avait échappé. Mais je suppose qu'on n'avait pas encore appris notre leçon !

Nous commencions déjà à faire des plans – comme nous l'avions fait la première fois –, à mesurer les espaces, à considérer attentivement le potentiel de la maison qui était largement inachevée. Au milieu de toutes ces supputations, nous sommes retournés dans les magasins déjà explorés en vue de la première propriété. Ces nombreuses visites et recherches nous avaient rendus plus avisés et mis au parfum des meilleures aubaines. Maintenant, nous savions très bien où aller pour meubler et rendre confortable cette demeure que nous croyions être, bien sûr, définitive.

Nous avions tellement hâte de mettre fin à une attente qui nous avait semblé si longue ! Tellement que nous avions l'impression d'avoir passé tous ces mois dans une sorte de vide, suspendus entre deux chaises. Il faut dire que, depuis un an, Michel avait déménagé cinq fois et moi trois fois, et qu'au moment où j'écris ces lignes, nous vivons dans un motorisé (encore impayé) en attendant de prendre la place qui nous revient.

Deux autres tuiles

Toutefois, les choses n'arrivent pas toujours comme on le voudrait. En effet, nous n'étions pas encore au bout de nos peines. Un matin, Jean m'appelle pour me dire que la collecte de fonds allait prendre du temps, beaucoup de temps, et qu'elle demanderait une organisation considérable. Il ne faudrait donc pas s'attendre à ce que cela se fasse avant des mois. (Pensez-y, encore des mois !) J'étais très étonné d'apprendre qu'il avait fait si peu de chemin depuis octobre, c'est-à-dire depuis huit mois ! J'étais effondré par cette nouvelle.

Quelques jours plus tard, le 28 mai au matin, une autre tuile nous tombe dessus : Jean m'apprend que la somme dont nous entendions disposer pour les travaux d'aménagement de la maison étaient beaucoup trop élevée et qu'il faudrait y renoncer. Du reste, il trouve mes projections en ce domaine plutôt excessives. Il répète qu'il faudra encore des mois avant de former la coopérative de bienfaiteurs et que, étant donné qu'il était absolument hors de question qu'il assume à lui seul l'achat de cette propriété, il faut attendre que l'organisation soit constituée et cautionnée en haut lieu…

Je suis resté là, appareil en main, incapable de parler. En apprenant tout ça, Michel s'est senti si démoralisé que, pour lui, c'était la fin – il renonçait à tout le projet pour aller se chercher un logement quelque part à la campagne. Il s'est même mis à consulter les pages immobilières du journal. Pour lui, fini les attentes et les incertitudes interminables : «Ça me rend littéralement malade, ça me tue ! » Quant à moi, une partie de mon être est en accord avec Michel, mais une autre me dit que nous devons continuer sur la même voie. (J'apprendrai quelques jours plus tard que cette part était inspirée et soutenue par mon mentor, Lucien Hardy.)

Un dernier espoir ?

Au cours de la journée, ce dernier sentiment semble l'emporter : on savait que le lendemain Jean allait recevoir la réponse de la banque ; c'était notre dernière chance. Je m'endors donc avec la certitude que quelque chose va arriver. Ma confiance est revenue. Ensemble, Michel et moi nous mettons à inonder les amis invisibles de suppliques et de prières de dernière instance afin qu'ils fassent fléchir notre ami Jean.

Eh bien, son âme a dû subir une force d'une rare intensité pendant la nuit, puisque nous apprenons le lendemain (29 mai) qu'il a en effet complètement changé de position : il accepte d'assumer l'achat de la propriété avec l'aide de la banque et décide même de venir nous rencontrer le vendredi 1er juin, en compagnie de l'agent immobilier, du banquier et de l'inspecteur en bâtiment. Tout semblait enfin réglé, du moins apparemment.

Cependant, la visite de notre ami ne fut pas aussi décisive qu'on l'eût espéré. Certes, il était ébloui par la beauté de la propriété du rang Saint-Louis, convaincu par nos projets d'aménagement et confiant que nous saurions très bien administrer la nouvelle œuvre. Toutefois, il croyait que le prix demandé était excessif ; il apprit de l'évaluateur lui-même que la propriété ne valait que 80 000 $ alors qu'on en demandait 129 000 $! De plus, le bungalow lui apparaissait si imparfait qu'il faudrait dépenser au moins 75 000 $ en réparations de toutes sortes.

De notre côté, nous étions convaincus qu'il fallait acheter et que nous ne pouvions plus attendre. Nous tentons de convaincre Jean que ce n'est pas la valeur marchande qui nous importe, mais bien la valeur du silence de la place, son retrait et son extraordinaire énergie. Nous l'avertissons aussi du fait qu'il va perdre la vente s'il diminue trop son offre, car il y a d'autres acheteurs intéressés. En vain. Jean n'est pas convaincu, il veut faire descendre le prix. Nous décidons alors de lui envoyer un *fax* bien musclé, où nous lui répétons qu'il nous faut cette place à tout prix. Nous sommes au bout du rouleau !

Cet envoi va l'exaspérer au point de vouloir à son tour tout lâcher. Il semonce vertement Michel au téléphone, lui rappelant que ce n'est pas ainsi qu'il travaille, le couteau sur la gorge et soumis au chantage émotif. Après tout, c'est bénévolement qu'il s'est engagé, mais si c'est ainsi que nous voulons fonctionner, il se retire complètement du projet. Il dit avoir appris depuis longtemps qu'on ne gagne rien à s'opposer à la vie, qu'il faut au contraire attendre le moment propice où toutes les énergies convergent pour favoriser l'action à entreprendre. En cela, il avait parfaitement raison. Comme je n'étais pas encore prêt pour le voir, je prends alors l'appareil pour lui expliquer que notre attitude était inspirée du fait que nous étions au bout de nos ressources financières et que nous n'avions pas le choix de réagir ainsi. Il change alors de position et promet de m'envoyer un chèque et même de venir nous rencontrer une autre fois. C'était une volte-face complète. (Nous apprendrons, quelques jours plus tard, que ce sont nos amis de lumière qui l'avaient ainsi ébranlé en nous inspirant les formules efficaces du *fax* !)

La troisième ferme est abandonnée

À la suite de cette rencontre, on décide de tout remettre dans les mains de Jean et des amis invisibles. Comme on est devenus plus prudents, on ne s'emporte plus, on ne fait plus de plans exhaustifs. On se contente de parcourir la région à la recherche d'une ferme. On se sent maintenant plus légers, libérés, énergisés. Ayant lâché prise et tout abandonné à nos guides, le courage du début est revenu, sauf l'enthousiasme, du fait que l'on avait été échaudés par deux fois. Ce furent les trois semaines les plus dures de toute l'aventure. On maintient le cap sans fléchir, avec un acharnement inlassable mais sans ferveur, visitant tous les rangs, les routes, les abords des petites villes – Pointe-du-Lac, Maskinongé, Yamachiche, Saint-Étienne-des-Grès, Mont-Carmel. Pourtant, rien ne semble convenir : trop cher, trop loin, trop petit ou en mauvais état. Mais, au fond, quel était notre but ? Ce sont tous ces mois de bouleversements et d'attente qui nous l'auront appris.

> Il s'agissait de comprendre que c'était le centre à fonder qui comptait avant tout, non l'endroit où il serait bâti. L'essentiel était de viser le but final et de ne pas s'attarder aux fausses cibles qui le précéderaient et le cacheraient. En somme, il fallait voir à travers les obstacles, les feintes, les apparences, ce qui se cachait derrière et que l'on cherchait depuis le début, malgré les illusions et les projections. Il fallait garder la foi. C'était même là le but premier du projet, qui était une quête dans une confiance complète, inlassable. Mais cela, bien sûr, on ne l'a appris et compris qu'à la fin seulement…

Le point d'arrivée

Durant la semaine de la Saint-Jean-Baptiste, on découvre une ferme près de l'endroit où on vivait. En effet, une amie de la banque locale nous a suggéré de visiter une propriété aux abords de la ville de Saint-Boniface, où on demeurait dans un motorisé. À deux kilomètres de là, on trouve, en pleine verdure et parmi les troupeaux de vaches et de chevaux, une vaste maison sise au milieu d'un vaste terrain parsemé de grands arbres. On s'y arrête, sans éprouver d'émotions. Puisqu'on est envoyés en reconnaissance, on fait notre travail qui consiste à examiner les lieux. Le vendeur nous apprend qu'il y a, bien sûr, quelques imperfections – absence de fosse septique, cheminée non sécuritaire, vieille grange en ruine et absence de sous-sol. Tout de même !

On fait part de notre recherche à Jean : on avait au préalable balayé toute la région et il ne restait plus de propriétés convenables à y découvrir, sauf peut-être celle-ci. Toutefois, on n'a fait aucune pression : c'était à lui de décider. On avait appris à regarder les choses plus calmement, avec un peu plus de détachement. L'agent immobilier nous apprend que Jean viendrait probablement durant le long week-end (du 22 au 25 juin). Convaincus qu'il le fera, on est tout de même surpris qu'après deux jours d'attente on n'a pas reçu d'appel confirmant sa venue. C'est pourtant déjà le 25 !

Eh bien ! c'était justement la date butoir qui allait tout changer. Quelques jours plus tôt, mon mentor Lucien m'avait dit que tout serait réglé en dedans de trois semaines, et notre médium Louise nous avait prévenus par téléphone que la décision serait prise durant la fin de semaine de la Saint-Jean-Baptiste. Or, on y était. Au moment où je m'apprête à appeler Jean à la boîte téléphonique la plus près, une auto klaxonne vigoureusement derrière moi. Je me retourne : c'est lui ! N'ayant pu nous atteindre – Michel avait par mégarde éteint la sonnerie du cellulaire –, notre ami avocat est venu quand même et a réussi à nous trouver ! Quelle belle rencontre organisée par nos réseaux invisibles !

J'avais déjà averti Jean que lui seul pouvait maintenant nous trouver une propriété. Peut-être qu'il pourrait essayer Internet. C'est justement ce qu'il a fait. Une fois attablés au restaurant pour le lunch, nous examinons les propriétés que Jean a dénichées. Nous décidons d'en visiter quatre qui nous semblent intéressantes. Il est 13 heures lorsque nous nous mettons en route – nous espérons que ce soit la dernière fois ! Après détours et égarements, nous finissons par trouver les fermes choisies, toutes plus éloignées et cachées les unes que les autres.

Finalement, nous parvenons à celle qui nous avait semblé la plus intéressante. Et la chose a eu lieu : on découvre la place idéale, la ferme parfaite avec une maison plus grande, mieux construite et plus moderne que toutes les précédentes, située sur un terrain plus beau, plus spacieux – 83 000 pieds carrés –, un espace orné d'une rangée de pins et doté d'une remise et d'un garage en excellente condition. Le tout sur un immense plateau d'où on aperçoit au loin le fleuve Saint-Laurent ! Cela dépassait en effet tout ce qu'on avait vu jusqu'ici, laissant loin derrière les trois fermes qu'on avait trouvées si belles. Et le prix – 120 000 $ – était plus abordable que celui des autres propriétés.

Nos amis invisibles nous l'avaient bien dit le jour même où on avait perdu la première ferme : « Vous trouverez beaucoup mieux, quelque chose qui dépassera tout ce que vous avez trouvé jusqu'ici. » Ils avaient raison. Ils avaient tenu promesse. On pouvait s'y fier. *Nous avions enfin trouvé !*

Comme c'est la fête de la Saint-Jean-Baptiste et que les propriétaires ne sont pas encore rentrés, l'agent immobilier promet de venir à la ferme une fois qu'ils y seront. On attend ainsi tout l'après-midi, examinant avec admiration le terrain et jetant un coup d'œil furtif pour voir l'intérieur de la maison. Ils arrivent enfin et nous font visiter les lieux, l'extérieur comme l'intérieur. Nous sommes déjà convaincus que c'est tout à fait adapté à nos besoins. Du reste, Jean avait déjà prévenu l'agent qu'il voulait faire une offre d'achat. Une fois que celui-ci est arrivé, il signe tous les papiers nécessaires. La propriété est achetée au prix demandé, ce qui comprend une foule de meubles, d'instruments et de machineries. Toutefois, jusqu'à la fin, nous sommes demeurés dans l'incertitude : un autre agent avait reçu une offre de son client, et on ne savait pas si celle-ci serait retenue plutôt que la nôtre. Ce n'est donc qu'à 21 h 30 que tout a été finalement réglé. Jean est venu nous voir dans le kiosque du jardin pour nous dire : « Est-ce qu'on fête à l'eau ou au champagne ? » Nous savions alors que la décision avait été en notre faveur.

La confiance a triomphé

C'est en effet le 25 juin 2007 que nous acquérons la propriété tant désirée et si longuement attendue. Elle est située dans la région de Louiseville, en Mauricie, comme on l'avait toujours voulu. Cependant, nous n'en prenons possession que le 20 juillet. Pour nous, c'était à la fois un point de chute et un point de départ, une piste d'envol. En effet, c'était ici que se ferait l'éducation des âmes désireuses de connaissance et d'éveil, que viendraient s'abreuver celles qui cherchent à se connecter à la Source et que se formerait une des cellules de la nouvelle humanité.

La promesse faite par l'au-delà s'est réalisée, tout comme le rêve que nous avions projeté. Des deux côtés, la confiance a triomphé : nous avons eu raison de faire confiance au monde invisible, mais celui-ci a également eu raison d'avoir eu confiance en nous. Nous sommes désormais liés ensemble en dépit de toutes les forces contraires. La foi a gagné la partie !

L'épreuve de foi

Il est certain que maintenir longtemps un but apparemment inatteignable, avec la certitude d'y arriver, demande beaucoup d'énergie, surtout si l'attente est longue et grevée de déceptions, de deuils et de délais – comme ce fut le cas pour notre projet initial. Cependant, quand on a mis pendant 20 mois tout son cœur et toutes ses forces dans une œuvre à réaliser, pour apprendre au dernier instant que tout s'est envolé, cela exige une force et une souplesse difficiles à imaginer.

Eh bien, c'est ce que nous avons réalisé avec l'aide à la fois indispensable et incompréhensible de l'au-delà ! Nous avons agi comme si tout dépendait de nous et nous avons fait confiance comme si rien ne dépendait de nous.

Il nous fallait croire au but malgré tous les obstacles sur la route – y compris celui de découvrir que la cible n'était en fait qu'un écran cachant le vrai but, le vrai sens de l'aventure – et que ce qui nous attendait dépasserait en tous points ce que nous avions attendu. Nos aides invisibles ne devaient pas connaître l'enjeu final, car nous devions décider nous-mêmes de faire le grand saut définitif ; nous seuls pouvions passer le test !

Maintenant, nous savons, pour l'avoir vécu, que la foi est cette confiance inébranlable devenue un roc de certitude, cet abandon à ce qui paraît tout d'abord impossible, mais où seulement l'âme peut réaliser ses possibilités illimitées. C'est cette foi qui permet de dire : « Même si tout ce en quoi j'ai confiance disparaît, je garderai la même confiance, je maintiendrai le cap. » C'est encore cette disposition qui rend toutes choses possibles, qui actualise ce qui n'est pas encore. Quand l'Évangile dit que la foi peut transporter les montagnes, il ne s'agit pas de montagnes de pierre, mais de ce qu'elles symbolisent – tout ce qui apparaît comme impossible, insurmontable, invincible. Voilà l'énergie créatrice de l'âme, le pouvoir de la vraie magie – celle qui, par une pensée concentrée et une intention droite, rend réelles les choses encore à naître ou simplement entrevues, imaginées, désirées.

Mais attention, ce que nous avons projeté n'est pas imaginaire, irréel ou utopique, mais l'annonce de la réalité, son épure, son esquisse, comme une semence est déjà plante en devenir ! C'est un appel à l'existence de ce qui n'est pas encore, mais qui attend justement l'appel pour se manifester. En somme, la vie, c'est avant tout un test de foi, une épreuve de confiance, où toute leçon qui vaut la peine d'être apprise n'est livrée qu'à prix fort.

Or, certaines choses ne peuvent se gagner ou se réaliser que si nous acceptons de tout perdre. Cela nous l'avons appris durement, même très durement.

* * *

Les dialogues qui suivent montrent comment la communion s'est établie et maintenue entre deux plans – le visible et l'invisible. Les êtres de lumière, qui s'avèrent d'une sagesse, d'une compréhension et d'une attention remplie d'humour, nous avaient promis dès le début que nous trouverions la place désirée, après beaucoup de recherches, de tâtonnements, d'attente et de persévérance. D'ailleurs, ces tâtonnements faisaient partie de l'apprentissage au lâcher-prise, à la ténacité et à la souplesse. Or, leur promesse s'est réalisée. Vous verrez que nous n'avions pas affaire à des fantômes ou à des inventions de notre imagination. La preuve est dans la découverte finale de la propriété, dans le fait que, comme ces êtres nous l'avaient prédit, elle dépasse toutes nos attentes et dans la matérialisation d'un projet longuement entre-tenu dans l'esprit et le cœur.

Il vous suffit de venir voir par vous-même au 3481, rang Fontarabie, à Sainte-Ursule près de Louiseville, pour vous rendre compte qu'il en est bien ainsi.

La « montagne » a bel et bien été déplacée !

* * *

Curieusement, cette aventure de foi avait également été annoncée par l'astrologie. En effet, dans les prévisions publiées le 31 décembre 2006 par le *Journal de Montréal*, on y lit ces lignes étonnamment prophétiques pour l'année 2007, touchant le signe de la Balance, qui est le mien.

Le vent dans les voiles

Les natifs du signe de la Balance sont solides comme le roc… Les domaines touchés par la grâce et soumis à des reviriments aussi heureux que spectaculaires sont ceux qui ont trait à l'épanouissement personnel et spirituel. La foi jouera un rôle majeur dans votre destinée, cette année. Vous en témoignerez ouvertement et sans gêne. Vous découvrirez ou redécouvrirez l'avantage d'avoir la foi et prouverez qu'avec la force intérieure on peut contourner tout obstacle. Bonne année, chers natifs du signe de la Balance[6] !

---

6. Le texte du journal, photographié et laminé, a été exposé sur un des murs de la salle de conférence au Centre Placide Gaboury.

Deuxième partie

Dialogues avec les êtres de lumière

(messages reçus de novembre 2005 à juin 2007)

Rencontre à travers la médium Louise Lamoureux, grâce à qui tout ce projet a été possible
(le 29 novembre 2005)

Louise *(en état de clairvoyance)* : Placide, c'est spécial ce que je vois. Tu es dans une pyramide qui contient plusieurs couloirs. Un guide arrive vers toi, c'est Imhotep (constructeur de la première pyramide). Je te vois entrer dans une partie de la grande pyramide où il y a beaucoup de papyrus et là, tu cherches longuement. Il me dit qu'il y aura une suite à ton livre sur la nouvelle humanité, un deuxième tome. Il fallait que tu te reposes, que tu décompresses, pour bien refaire tes énergies. Tu seras introduit dans un ensemble d'énergies te permettant d'accéder à des connaissances qui vont contenir des révélations. Il me dit que très peu ont accès à ce lieu. Il est très content, tout souriant, et il te salue, tout reconnaissant que tu aies accepté qu'il travaille avec toi.

Placide : Mais c'est un honneur, un bonheur de travailler avec un tel maître et qui, de plus, a de l'humour !

L. : Il me donne un symbole du soleil, mais du soleil central (la source éternelle de lumière). Essaie de le visualiser, sinon dessine-le et vois-toi à l'intérieur. Dans ce soleil d'énergie centrale, mets tout ce que tu veux concrétiser, ce que tu désires[1]. Et quand tu vas le faire, tu sentiras que c'est déjà un acquis, que c'est déjà matérialisé.

À un moment donné, je te vois dans le temple, tu es entouré de personnages – Socrate, Jésus, le Bouddha, Imhotep, François d'Assise. Ils sont assis en cercle et tu es avec eux, assis au milieu. Ils me disent qu'ils se sont rassemblés parce qu'ils sont au courant de vos projets et qu'ils vont vous aider à les concrétiser.

————— ∞∞∞ —————

---

1. Ce soleil dessiné se trouve affiché dans le bureau du Centre.

Les êtres de lumière passant par la médium Anne-Marie Charest, qui interprète le langage des animaux et parle en leur nom
(le 14 décembre 2005 à Sainte-Agathe-des-Monts)

Un groupe qui se nomme les Lumières qui voyagent : C'est grand, messieurs, ce qui vous attend, ce qui se prépare pour vous. Oh ! Toute une équipe vous prépare cet endroit. Tant d'énergie déployée ! On se consulte dans l'au-delà. À quelques sites, on envoie des éclaireurs. Mais seulement un seul de ces sites sera terre d'accueil pour vous, pour ces animaux et, surtout, pour tous ces gens qui défileront chez vous, qui ont tant besoin de défiler chez vous. Vous verrez, ça grouillera de monde. Vous en resterez vous-mêmes estomaqués. Les gens vous reconnaîtront. Nous nous occupons à ce que vous connaissiez la prospérité et à ce que les gens vous reconnaissent comme êtres de lumière.

Nous sommes un groupe d'invisibles. François d'Assise est justement présent avec nous. Pensez-vous qu'il allait manquer cet entretien ? Il est bien présent et se dit satisfait du sérieux apporté aux réflexions suggérées ici. Et vous savez qu'il était opportun pour vous d'entendre ces paroles à travers une autre médium que la personne habituelle.

François d'Assise : Mes chers amis, quel bonheur d'être avec vous ! J'avais envie de venir vous dire bonjour, en passant par là, afin que vous compreniez que je suis toujours avec vous, peu importe où vous allez[2]. Et là où vous irez, ce sera plus agricole qu'ici (on est en montagne), mais très semblable sur le plan de l'énergie. Je dirai de cet endroit où vous vivrez « merveille », un lieu de merveilles, c'est ce qui vous attend. Je me dévoue à la cause avec amusement, car il faut bien un prospecteur. Je suis accompagné de mon ami fidèle, Loup Blanc, qui s'occupe lui aussi de s'assurer que les animaux pourront vivre un règne heureux dans votre domaine, un règne pleinement respectueux de leur essence !

C'est à vous de faire vos demandes. Je dirai que ces rayons de soleil (dessinés sur votre mur) doivent être modifiés au fil de votre évolution. Vous pensez à une idée, à un désir : indiquez-le. Vous pouvez modifier cette liste, vous devez comprendre que vous évoluez également et que vos demandes peuvent évoluer de la même façon. Rêvez grand, chers amis, rêvez grand ! Il n'y a de limites que celles que vous vous imposez. Nous sommes là à attendre que vous nous indiquiez ce que vous voulez. C'est un travail de tous les instants, en ce sens que vous êtes évolution ; donc, vos choix et vos résolutions le sont aussi. Faites-nous part de ces changements et nous vous en saurons gré, car vous démontrez ainsi que vous n'attendez pas que la lumière seule fasse son œuvre, mais que, conjointement avec nous, vous êtes prêts à y mettre les efforts, à démontrer votre foi en l'inconnu. N'est-ce pas de cela qu'il s'agit ? Comprenez bien que l'argent est

---

2. C'est un trait constant de ces relations : nous ne devons pas dépendre des êtres de lumière comme si nous n'avions rien à faire de notre côté. Au contraire, cette collaboration n'est possible que si nous faisons notre part, comme si le succès dépendait de nous seuls !

énergie, et où on l'aime, là où on le respecte, l'abondance vient. Voyez-vous prospères, aimez l'argent de façon respectueuse et il viendra à vous. Il courra vers vous ! Soyez prêts, chers amis[3] !

---

3. On voit que depuis qu'il est dans l'au-delà, François a changé de bout en bout sa façon de voir l'argent, qu'il abhorrait sur terre, de même qu'il ne verra plus la souffrance comme le moyen d'aller au ciel, selon la croyance médiévale qu'il épousait durant son incarnation. Cela indique clairement que la croissance ne s'arrête jamais.

Rencontre avec François d'Assise
(le 3 janvier 2006)

François d'Assise : Très heureux d'être avec vous, chers amis. Nous vous situons sur des pistes importantes, pour que vous arriviez à croire que tout est possible. En vous laissant guider en toute confiance. Déjà ce que vous cherchez est imprégné dans l'énergie. Vous aurez, bien sûr, à faire certaines démarches pour vous situer géographiquement. Mais vous saurez trouver ce lieu de paradis pour vous !

Sans être clairvoyants, vous avez l'avantage de vous laisser guider par le ressenti, par des vibrations connectées à votre âme et à l'Ensemble (le groupe auquel appartient François). Sachez bien, mes âmes, que vous êtes purement énergie, vous transmettez des ondes, des vibrations, comme des courants électriques. Vous avez des corps de lumière. Il n'y a pas de limites à vos manifestations, même matérielles. Ce qui en fait l'obstruction, c'est que vous avez été programmés dans la peur et l'insécurité.

Maintenant que vous êtes engagés dans le processus, vous allez réaliser ce désir. Mais vous aurez besoin de sonder ailleurs pour vous situer dans la région.

Placide : On aimerait vivre en Mauricie.

F. : C'est très bien, nous ferons le déplacement avec vous. L'objectif est de prendre conscience de vous-même. Vous êtes connectés à un radar intérieur. Nous vous guidons dans le sens que vous désirez. Et nous vous apportons l'appui financier dont vous avez besoin. Vous franchissez une nouvelle étape. Vous avez fait le choix de ne plus entretenir de limites sur vous-mêmes. Vous vous élargissez jusqu'à reconnaître qu'il n'y a pas de limites. Cela vous demande de laisser de côté certaines programmations (par exemple, le sentiment de manque). Soyez appuyés fortement dans la certitude que tout ce qui est nourri dans vos pensées est manifesté et que vous avez le pouvoir de gérer sur tous les plans, d'intégrer le fait que vous êtes divins, que vous êtes lumière et pas seulement une matière dense. Et la clé pour transformer tout ça, c'est d'y croire. Croire qu'il n'y a pas de limites sur ce plan. Voyez tout ça comme une renaissance...

Rencontre avec un maître atlante et François d'Assise
(le 4 février 2006)

Atos (maître atlante) : Frère d'âme Placide, vous transmettez les connaissances par l'enseignement, en étant connecté à la sensibilité de votre âme – vous cherchez l'unicité du Soi. Vous vous êtes introduit, en jouant naguère un rôle bien important, dans les enseignements de l'Église (comme le pape Clément XIV). Et, par la suite (la vie présente), vous avez exploré davantage dans ce même contexte (en tant que jésuite). Mais vous avez ressenti dans votre âme que ce n'était pas le contexte qui vous connecterait à la Source. Vous avez ouvert une porte, chère âme, en faisant cette connexion consciente à la Source de toute vie. Vous transmettez vos enseignements par l'intermédiaire de l'écriture, de vos conférences, de la musique et de vos peintures.

Chère âme, écoutez bien ceci : par ce que vous dépeignez dans ces tableaux, sachez qu'à travers ces images, ce qui est transmis – la sensibilité de votre âme –, vous enseignez à travers cela. Et lorsque vous vous laissez guider, dans la sensibilité, à travers la musique, si vous aviez la vision des vibrations que vous émettez, vous seriez en extase !

Placide : Merci pour ces renseignements.

A. : Frère Michel, nous savons capter et ressentir l'énergie de votre âme. Ce n'est pas par hasard, concevez bien, qu'en accord avec votre âme vous vous laissez nourrir de certains enseignements, car vous êtes d'accord à recevoir des connaissances. Ainsi, vous vous accordez à vous-même, vous accélérez le processus évolutif, vous alimentez et éveillez votre conscience, et acceptez davantage de vous rapprocher de vous-même. Auparavant, vous avez nourri des attitudes où vous preniez grand plaisir à fuir, à ignorer qui vous êtes. Mais voilà que vous vous approchez de vous-même. Vous en ressentez une légèreté, une liberté du cœur, un émerveillement.

Nous sommes avec vous. Nous savons vous reconnaître – vous faites partie des nôtres, car vos intentions sont pures.

Chère âme Placide, la mère terre est en phase de grand nettoyage, de libération de toutes les imprégnations négatives. Comme vous l'avez bien mentionné dans le dernier livre (*Le jour où la lumière reviendra*), le but en est de refaire un nouveau monde. Vous avez été guidé en écrivant ce livre, et voyez que ce que vous propagez chez ceux qui vous liront va nourrir leur esprit et leur cœur.

(Silence.)

François d'Assise : Bien, nous prenons place. Quelle joie d'être avec vous ! Frère Placide, comment ça va ? Et que je suis fier de vous ! Que vous avez travaillé très fort ! Nous en avons été témoins.

P. : On vous attend maintenant.

F. : Oh ! ne vous inquiétez pas, mes âmes, ne vous inquiétez pas !

P. : On vous fait complètement confiance.

F. : Nous le savons, et combien nous en sommes reconnaissants, d'ailleurs.

P. : Je regarde tout ce projet comme si c'était déjà réalisé.

F. : Parfait, c'est très bien. Connectez-vous à la Source. Et ne vous inquiétez pas : nous sommes grandement avec vous. D'accord ? […] Salut, frère Michel ! Comment ça va ?

Michel : Ça roule.

F. : Eh, je vous sens de plus en plus léger.

P. : Il rit beaucoup.

F. : C'est bien, vous en aviez tellement besoin. Voyez, vous avez lâché prise quant à ce que vous aviez vécu antérieurement. Vous avez laissé partir ces blessures…

M. : Ah, oui !

F. : Donc, vous vous laissez plus de place pour vibrer.

P. : Ses cheveux vont peut-être repousser !

F. : En tout cas, il y a des racines à l'intérieur qui prennent beaucoup de place. On est avec vous.

P. : On vous remercie beaucoup.

M. : Merci, c'est merveilleux !

Deuxième rencontre avec la médium Anne-Marie Charest et ses guides
(Ce dialogue a lieu après qu'on a appris que l'argent n'allait pas venir de la loterie et que le projet serait retardé indéfiniment !)

Les Lumières qui voyagent : Cher ami, chers amis, bonjour à vous ! Il nous fait grand plaisir de vous savoir ici. Tout d'abord, avant de discuter, nous vous demandons de vous détendre. Relâchez ces tensions, car le mental trop occupé rend le corps tendu. Vous êtes dans ce lieu de montagnes où l'énergie est vibrante, élevée. Nous vous insufflons une brise de sérénité. La sérénité, c'est la guérison de l'âme. Profitez de ce moment pour vivre ancré dans le moment présent. Libérez votre corps, permettez à votre âme de s'aligner sur vous et, donc, sur le divin. [...] (*Nous nous relaxons.*) C'est bien.

Nous vous demandons, tout au long de cet entretien, de déverser ce trop-plein, de le laisser en ce lieu qui saura le purifier. Vous repartirez beaucoup plus légers qu'à votre arrivée. Il se devait d'en être ainsi, chers amis.

Eh bien ! vous avez répondu à notre appel. Vous devez vous féliciter.

Alors voilà, nous sommes acculés au pied du mur, n'est-ce pas ? C'est ainsi : un test de foi. Mais voilà, vous vivez dans le monde des humains, n'est-ce pas ? Et cet homme (Robert) qui attend avec impatience pour vous céder son lieu n'est qu'un humain, bien sûr. Nous comprenons que la situation est confondante pour vous. Effectivement, vous devrez user d'astuce… Ce lieu, monsieur, il vous revient certes, mais voilà, vous ne pouvez verser de l'argent qui ne vous appartient guère pour le moment. Cet argent est là pour vous, il vous attend, mais il n'est pas encore en votre possession. Ce lieu, monsieur, a déjà reçu vos énergies, il est imprégné de vous.

En tout cela, vous devez comprendre qu'il s'agit d'un jeu. Seulement un jeu, monsieur. Vous devez comprendre que la négociation, que les démarches, que le côté financier, toutes les étapes pour acquérir ce bien, pour faire de cet endroit un lieu de miracles doivent se faire dans la détente et la confiance. Tout doit se faire dans la joie, puisque c'est un apprentissage, puisque tout ce qui se déroule vous apporte connaissances et enseignements. Or, vous ne pouvez verser cet argent en ce moment, donc il vous faut convaincre cet homme d'une certaine patience.

Michel : Est-ce qu'on aurait fait des erreurs ?

L.L.Q.V. : Tout a été bien fait. En revanche, nous devons souligner un certain emballement. Il est difficile pour les humains de trouver l'équilibre entre la spiritualité, le désir de remplir sa mission, de matérialiser son bonheur et d'être simplement humain dans un monde d'humains. Les êtres comme vous, conscients de l'autre dimension, doivent constamment osciller entre les deux mondes. Pour ça, nous vous disons bravo !, car nous sommes conscients qu'il serait beaucoup plus facile de nier l'autre réalité et d'évoluer seulement dans votre monde matériel. Alors donc, nous comprenons cet empressement, cet emballement. Mais voilà, puisque vous êtes des êtres évolués, vous prenez ce moment de recul et vous vous dites : « Maintenant, qu'est-ce qu'on fait ? » C'est que vous êtes sages, messieurs. Car nous connaissons votre désir ardent de mener à terme ce projet. Nous savons que vous chérissez cette idée, cette autre vie qui vous attend, et que vous avez envie, avec empressement, de clamer haut et fort votre place sur cette terre.

M. : On nous a dit que la rentrée d'argent passerait par moi. Je ne vois pas quelle différence ça ferait, pourvu qu'il se manifeste.

L.L.Q.V. : Effectivement, seul le résultat compte. Mais on vous approchera avec une somme.

M. : Parlez-vous de loterie ou d'un legs ?

L.L.Q.V. : Vous verrez, cher ami, que vous obtiendrez cet argent de façon particulière. Vous connaissez, cher ami, le lâcher-prise ?

M. : Oui.

L.L.Q.V. : Lorsque vous lâchez prise, vous nous facilitez la tâche. C'est difficile de vous amener dans une direction lorsque vous tirez dans la direction opposée. Si, par exemple, dans ce cas précis, vous pensez, vous croyez, vous scénarisez que l'argent proviendra d'une source quelconque, et qu'il vient d'une source complètement autre, vos énergies seront dirigées au mauvais endroit. Dirigez ces énergies vers votre âme, vers la joie, n'oubliez pas cette fameuse joie qui hausse le taux vibratoire. Le lâcher-prise attire la richesse. En ce moment, ce que vous devez faire, c'est aimer l'argent qui vous cherche et qui cherche une façon de vous rejoindre. Aimez-le, chérissez-le, appelez-le, comme si vous le courtisiez. Séduisez-le. L'argent est énergie. L'énergie se dirigera là où elle est appelée, bien sûr. Voyez l'argent comme une énergie que vous attirez. Il viendra. Il viendra. Est-ce que vous comprenez bien ?

Vous n'avez pas manqué au rendez-vous. Vous avez fait les choses avec de pures intentions. Vous avez fait les choses au moment propice. Maintenant, un certain lâcher-prise doit se manifester.

Nous sommes désolés que cela vous cause un peu de chagrin, car vous aimeriez tant y être déjà. Nous le comprenons. En revanche, le plan divin est parfait. Rappelez-vous cela. Il est parfait. C'est bien ainsi.

Vous pouvez envoyer de la lumière à l'endroit que vous espérez obtenir. Si l'attente est trop longue, vous pouvez aller prendre un café dans ce village, faire de ce lieu votre endroit. Allez vous imprégner des énergies de la place et laissez-y les vôtres. Prendre un café, faire vos courses, comme si vous y habitiez.

———— ⬬⬬⬬ ————

Rencontre avec François d'Assise et Lucien Hardy
(le 24 février 2006)

François d'Assise : Eh bien, très heureux d'être avec vous !

Placide et Michel : Bonjour, François.

F. : Oh ! que nous vous observons ! Conservez les mêmes dispositions – conviction et détermination.

P. : On pourrait y ajouter le désir ?

F. : Ah ! Ça, c'est prioritaire !

P. : Se laisser mener et désirer en même temps.

F. : Effectivement. Concevoir que c'est déjà un acquis.

P. : C'est ça.

F. : Ayez la certitude, mes amis, que nous participons avec vous, sommes témoins avec vous de ce que vous voulez entreprendre. Cette œuvre sera bénéfique. Certains viendront chez vous, recevront l'éclairage qui leur sera nécessaire. Et voyez, frère Placide, vous n'avez point perdu l'art de l'enseignant ?

P. : Non… Je vais surtout l'appliquer à ce moment-là ?

F. : Oh que si ! Et vous ressentez d'ailleurs qu'il y a encore beaucoup à donner.

P. : Oui, beaucoup, peut-être que le plus important est à venir.

F. : Mon cher frère, si vous vous laissez conduire en toute confiance, vous vous sentirez connecté directement. Vous serez situé dans une certitude. Nous voulons vous montrer, chère âme, combien nous sommes présents avec vous.

(Les chiens jappent.)

Il faut s'occuper de ces enfants ! (*On s'en occupe.*) Bien, ·très bien…

Vous vous êtes référés à d'autres qui sont nourris par les mêmes intentions que les vôtres (*allusion à Anne-Marie et à son groupe*), même transparence, même pureté. Nous prenons contact avec eux et passons à travers leur énergie[4], nous nous manifestons comme à travers le canal qu'est Louise (*voir la première rencontre*). Le contenu de ce que vous recevez contribue à vous rassurer, à vous garder dans la certitude et à vous aider à concevoir que tout est possible. Qu'en pensez-vous ?

P. : Je suis complètement d'accord.

F. : Bien, bien.

P. : Nous sommes certains que ça va arriver et à mesure que passent les jours, on s'en approche inévitablement.

F. : Effectivement… Un ami veut vous parler, vous permettez ?

Père Lucien Hardy (*mentor de Placide*) : Ah ! mon cher Placide, que je suis content, que je suis content !

---

4. Le « nous » dont parle François fait toujours référence à ceux qui forment ce qu'il appelle l'Ensemble.

M. et P. : Bonjour, père Hardy. Les choses vont bien, d'après vous ?

L.H. : Bien sûr, gardez confiance.

P. : On a hâte, vous savez.

L.H. : Bien sûr, vous êtes comme des enfants, vous nourrissez tellement d'enthousiasme ! Nous savons capter vos vibrations. Nous savons reconnaître aussi vos intentions. Et là, voyez qu'on participe avec vous. Ne vous inquiétez pas.

M. : C'est bien vous qui avez tenu la plume de Placide l'autre jour (*lors de la signature*) ?

L.H. : Je vous le reconfirme : bien sûr. J'étais complice avec vous.

P. : On avait quelque chose à apprendre à travers ça ?

L.H. : Effectivement.

P. : C'est parfait tout ça, à condition que les propriétaires ne souffrent pas indéfiniment.

L.H. : Bien sûr.

P. : Quant à nous, on est capables d'endurer...

L.H. : Ah ! oui, bien sûr, bien sûr ! Ayez la certitude que nous sommes bien avec vous...

Rencontre avec l'Ensemble
(le 26 mars 2006)

Louise (*en état de clairvoyance*) : C'est particulier, Placide : au-dessus du livre qui est sur la table (*Les compagnons du ciel*, sorti récemment) , je vois l'énergie du soleil en suspension. Les amis (de l'Ensemble) sont très contents du contenu et de ce qui va en découler. Maintenant, je vois ton mentor, Lucien, il se tient derrière toi, il dit qu'il est bien satisfait. Il me montre une porte de lumière, une porte qu'il est nécessaire d'ouvrir, qui est en rapport avec ta propre évolution, ton ouverture – la connexion avec la sensibilité de ton âme. Depuis que tu as fait cette connexion, tu es entré dans un processus d'évolution très accéléré. Il dit aussi que si tu reviens en arrière, tu n'aurais pu, sans le bagage reçu des messagers, agir comme tu le fais présentement. Tu ne l'aurais pas compris.

De plus en plus, tu t'éveilles à d'autres façons de percevoir les choses, des façons tout à fait différentes, moins appuyées sur le rationnel, et plus sur la sensibilité. La porte de lumière, c'est celle-là, la porte qui mène à ton âme. Il me montre une clé de lumière qui va t'aider à ouvrir toutes les options que tu as choisies pour te réaliser. Il va aussi y avoir d'autres livres. Je ne sais si tu en avais l'intuition, mais il va y avoir une suite aux *Compagnons du ciel*. C'est spécial : le prochain aura un contenu axé da-

vantage sur certains thèmes de l'enseignement spirituel[5].
Tu vas le faire d'une façon très passionnée, avec une ouverture beaucoup plus grande et plus intense. *(Il rit, il est
content.)* Continue de maintenir la certitude que la signature du contrat d'achat était bien de moi !

Michel, on te dit que tout ce qui est en marche ac-
tuellement, c'est un plus pour toi, tu t'en vas récolter ce
que tu as semé. Tu as mis beaucoup de toi dans la gra-
tuité, dans l'amour inconditionnel, et maintenant tu vas
récolter. Ils me disent : « Sois ouvert, réceptif à toutes les
belles occasions qui vont se manifester pour toi dans le
but de te combler. Accepte de recevoir, ne mets pas de
restrictions. Ouvre grand, grand ton cœur, laisse-le se
remplir, tu en as besoin ! »

(Louise entre en transe.)

François d'Assise : Bien, très heureux d'être avec vous !
C'est magnifique ce que vous faites. Michel, voyez que ce
que vous venez d'entendre a de l'importance pour vous.
Il vous est essentiel de ne choisir que du bien pour vous.
Enfin, arrêtez de vous donner des coups de pied au derrière, mon frère ! Soyez bon pour vous, dans la douceur,
dans la souplesse du cœur et de l'esprit. Choisissez d'être
heureux. Et sachez bien que nous participons avec vous
à remplir vos boîtes. *(Michel déménage à la campagne.)*

Et sachez à quel point, mes âmes, nous avons depuis
le tout début apporté notre appui à votre projet !

Placide : Ça va bien, on est un peu impatients, mais on
attend, c'est tout.

---

5. En effet, c'est le livre que vous tenez présentement ! L'enseignement dont il est question est exposé dans la troisième partie
du livre.

F. : Mais voyez, chères âmes, l'essentiel est de rester dans la conviction de ce qui est et dans ce qui sera pour vous, vous voyez bien ?

P. : C'est déjà là.

F. : Effectivement. Mais avant de quitter, permettez- moi, permettez-moi de manifester cette grande joie devant ce livre, mon frère ! Tout ce beau contenu ! Sûr que nous appuyons aussi le fait qu'il y aura une suite à ce livre…

(Un instant.)

Oncle Olivier (le plus aimé de mes oncles et de mes tantes) : Ah bien ! Salut, le neveu !

P. : Bonjour, mon oncle.

O. : Comment ça va, toi ?

P. : Bien. Vous allez nous envoyer votre héritage bientôt[6] ?

O. : T'es en train de réveiller les morts, hein ? Ah, c'est bien. Tu sais que t'as été bien inspiré de le faire.

P. : On ne savait vraiment pas comment s'y prendre.

O. : Et puis, tu sais que j'étais d'accord. Bien sûr. Tu sais que je ne change pas, toujours actif. Et j'aime ça me tenir occupé.

P. : Vous étiez un être extraordinairement vivant et généreux.

O. : Bien sûr, bien sûr. Et tu vois, d'avoir réveillé les morts, j'en suis content, moi !

---

6. Allusion au fait que nous parlions de recevoir un héritage pour ne pas dévoiler le fait que l'argent n'arrivait toujours pas. Et on disait que l'héritage viendrait d'oncle Olivier, qui avait vécu à Vancouver – ce qui était vrai !

P. : On a emprunté votre nom, puisque c'est celui qui me revenait le plus naturellement.

O. : C'est très bien. Ah, mon neveu, sache bien ceci : je fais moi aussi partie comme vous dites de « la gang » pour vous aider à réaliser ce projet. Bien sûr.

P. : Vous allez nous aider à trouver l'argent ?

O. : Bien sûr. C'est toujours sur le « testament ». J'aime t'entendre le dire, hein !

P. : Le testament que vous auriez pu me faire un jour…

O. : Voilà bien. Tu vois qu'on a toujours l'occasion de se reprendre, hein ? Et tu sais quoi, je suis avec ton père. Et il n'a pas changé, il est têtu, encore, encore. On n'est pas pareils.

P. : Vous étiez tellement ouvert et souple.

O. : Tellement différent. J'ai pas changé.

P. : Eh bien, vous ne manquerez pas de saluer tout le monde.

O. : J'y manquerai pas.

P. : Et vous permettez que je vous appelle souvent, que je vous parle ?

O. : Bien sûr, j'apprécie, j'en suis très, très content… Il y a quelqu'un qui veut venir te parler…

[…]

Une voix : Salut, mon fils !

P. : C'est papa ?

Réponse : Non, c'est ta maman. Comment ça va, mon grand ?

P. : Ah ! Bonjour, maman !

Maman : Ah ! je suis tellement contente de pouvoir venir te saluer dans une si belle circonstance !

P. : Bien sûr, vous avez vu que vous êtes dans le livre des *Compagnons du ciel* ?

M. : Oui, oui, je suis très, très heureuse. Et je te vois grandir, tu sais, je suis tellement fière de toi.

P. : Merci. Oui, ça va bien.

M. : Et ne perds pas confiance, hein ? Sois confiant : il y a du beau qui s'en vient pour toi.

P. : Bien sûr, et c'est très près.

M. : Oh, oh !... Tu sais quoi ? À l'éclosion des fleurs[7]...

P. : Magnifique !

M. : T'auras de belles surprises.

P. : Merci beaucoup.

M. : On s'occupe de toi.

P. : Et vous dansez toujours avec oncle Olivier ?

M. : Ah ! J'y manque pas. On a beaucoup de plaisir ensemble.

P. : Hier, quand j'ai joué au piano les airs d'autrefois, vous dansiez ?

---

7. Ce qu'on ne savait pas, c'est qu'il s'agissait de l'éclosion des fleurs au printemps prochain (2007), étant donné que, dans le monde invisible, le temps tel que nous le connaissons n'existe pas.

M. : Oui, bien sûr, bien sûr !

P. : Je suis content. C'est gentil. Je fais de la musique pas mal tout seul et j'aimerais bien jouer pour les autres…

M. : Ah, tu sais que tu n'es pas seul quand tu joues ta musique. Des fois, je m'assois sur le banc à côté de toi ! Ah ! Si tu savais toutes les résonances qui se répandent dans les univers. Ah ! C'est merveilleux ! Il n'y a pas de limites aux vibrations ! Et je vais te dire avant de partir : je t'aime, je t'aime, je t'aime ! Je t'embrasse. Au revoir !

P. : Maman !

[…]

Rencontre du 27 août 2006

Une voix de l'au-delà : Ah ! Que je suis content d'être présent avec vous !

Placide : Eh oui, frère François !

Une voix : Ah ! Sache bien, mon ami, que je suis… ton mentor.

P. : Oh ! Le père Hardy !

Lucien Hardy : Effectivement.

P. : Ah, on voulait justement vous parler…

L.H. : J'étais présent à ce bon partage pendant le repas.

P. : Vous êtes d'accord avec ce qu'on y disait[8] ?

L.H. : Bien sûr. L'intention de vous rencontrer n'était pas venue par hasard. À travers ce que vous avez partagé, vous vous étiez mis à l'écoute de certains messages importants…

P. : Oui, c'est sûrement vous qui avez organisé tout ça !

L.H. : Mais bien sûr, j'avoue en être complice.

P. : Alors, tout ce qui regarde cet avocat, vous êtes d'accord ? Qu'il visite la ferme pour voir comment il pourrait s'impliquer ?

---

8. Il était question, entre autres, d'un ami avocat qui m'avait rendu de grands services par le passé.

L.H. : En effet. Et je vais te confirmer que je serai bien présent avec vous.

P. : Il ne sera plus question cette fois de signer quelque chose !

L.H. : Tu as remarqué que nous sommes associés, hein ?

P. : Oui.

L.H. : Et cet autre associé va s'ajouter à toi.

P. : L'avocat ?

L.H. : Effectivement.

P. : Et comme il a de l'argent, peut-être qu'il pourrait nous aider sur ce plan.

L.H. : Très bonne perception.

P. : Car il s'agit d'une fondation, où il faut une somme qui nous permette de durer.

L.H. : Voilà bien.

P. : Et d'autres aussi pourront nous aider… Et l'argent ne viendra pas d'un seul coup, mais par morceaux ?

L.H. : Voilà. Tu as très bien cerné.

P. : Bon. En ce qui regarde le moment où ça va se passer, pourrait-on savoir si on devra encore passer tout l'hiver à attendre ?

L.H. : Ne misez pas sur des attentes. L'important, c'est d'être présents à ce qui est à faire.

P. : Parfait. Et cet avocat, comme on l'a dit au repas, il m'était lié dans une autre vie et a contracté une dette envers moi qu'il veut maintenant acquitter ?

L.H. : Bien sûr, et accordez-lui l'occasion de le faire. Il connaît le vrai sens des valeurs et il sait faire fructifier à son avantage et partager sans se démunir.

P. : En effet, il pourrait même acheter la propriété[9] !

L.H. : Effectivement.

P. : Ça serait avantageux pour lui.

L.H. : Et pour vous également.

Michel : Père Hardy, hier soir, je vous ai parlé assez carrément !

L.H. : Je vous ai bien entendu, mon ami.

M. : Il faut que ça bouge quelque part, car on est dans un cul-de-sac[10].

L.H. : Ne concevez pas les choses ainsi : cette étape est importante pour vous.

M. : Oui, je sais, mais on ne peut pas continuer à vivre ainsi, les fesses serrées.

L.H. : Voyez que, dans cette expérience, vous avez effectivement appris à… desserrer les fesses !

P. : Et dans cette épreuve – la plus difficile –, on a appris à s'ouvrir à l'invisible.

L.H. : En effet.

P. : Même si c'est difficile, je sais que ça va se terminer bientôt.

---

9. De fait, c'est ce qui se produira.
10. Surtout sur le plan financier, mais aussi par l'exiguïté de notre logement provisoire et par un sentiment général d'incertitude.

L.H. : N'oubliez pas que depuis plusieurs rencontres, on s'occupe de vous, mes amis.

P. : En effet, je pense que la patience et la persévérance que nous vivons nous ont été facilitées par vous, les êtres de lumière.

L.H. : Effectivement.

P. : Car ça n'aurait pas été possible autrement.

Rencontre du 12 septembre 2006, le lendemain du décès de Minou

François d'Assise : Bien, très heureux, n'est-ce pas, de manifester ma présence.

Placide : Père Hardy ?

F. : Non, c'est votre ami François.

Michel et P. : Ah, bonjour François !

F. : Je me permets de prendre les devants, pour te faire part, mon frère Placide, que tu as le cœur un peu fragile. Pour te rassurer, mon frère, nous nous occupons particulièrement de cette petite âme qui t'était si chère, ce petit animal. Et nous avons été à l'écoute de ta demande, et conçois qu'il est bien en vue, bien protégé – cette demande avait été faite à Loup Blanc (*le compagnon de François*).

P. : Loup Blanc s'en était occupé.

F. : Oh, que si ! Et il y a aussi d'autres entités qui sont destinées spécifiquement à être auprès de lui. Alors, tu vois, n'appréhende point, nous te donnons la certitude que ce petit animal te reviendra. Il aura l'air aussi princier qu'il l'a été, il aura son allure austère, un peu indépendante mais très sensible, et tu sauras le reconnaître par ses yeux.

P. : Il va revenir ?

F. : Que si, il te reviendra.

P. : On a l'intention d'avoir des petits chats à la ferme.

F. : Bien sûr, et tu sauras le reconnaître parmi ceux-ci.

P. : Il sentait depuis un bout de temps qu'il s'en allait.

F. : Assurément.

P. : Merci beaucoup.

F. : Bien, bien. C'est pour cela que j'ai pris les devants avec beaucoup d'anticipation, mon frère, pour te rassurer dans tout cela.

P. : J'en suis touché.

F. : Frère Michel, comment ça va ?

M. : Bien, mais c'est une période difficile.

F. : Alors, qu'est-ce qui vous semble difficile ? [...] Ah ! Nous avons la réponse... (*Il lit la pensée de Michel.*) La question financière, n'est-ce pas ?

M. : C'est bien ça, c'est exténuant.

F. : Ça va bientôt se régler, mon frère ! (*Mais pas avant plusieurs mois !*)

P. : Oui, sûrement, ça s'en vient.

F. : Et au bout de votre persévérance, de votre patience, vous approchez de l'aboutissement.

M. : On va *tougher la run*, comme on dit ici.

F. : Bien sûr.

M. : C'est fatigant, l'argent, c'est vraiment quelque chose ! Et à la ferme, ça va prendre beaucoup d'argent.

F. : Mais vous saurez l'envisager étape par étape, sans rien précipiter, vous voyez bien.

M. : On va suivre vos conseils.

P. : Ça va venir au moment où on en a besoin.

F. : Bien sûr, vous avez l'attitude du grand sage, mon frère.

P. : Ça nous a pris du temps à comprendre.

F. : Il fallait le vivre pour y parvenir.

P. : Exactement, il fallait traverser tout ça.

F. : Effectivement.

P. : Bon, j'aimerais maintenant, s'il vous plaît, parler au père Hardy.

F. : Avec plaisir, je lui cède le canal. Je vous aime.

M. et P. : Merci bien, François.

(Silence.)

Lucien Hardy : Ah ! Que je suis content de pouvoir prendre place avec vous !

M. et P. : Bonjour, père Hardy !

L.H. : Oh, que je suis près de toi ces derniers jours, Placide !

P. : Oui, je sens que ça m'a aidé, surtout hier.

L.H. : Je te brasse le cœur, mon frère.

P. : Ça doit arriver pour une raison, tout ça !

L.H. : Bien sûr. Et je te mets même en situation : cette tristesse qui t'alimente vient te resituer dans ton petit cœur d'enfant, et ce qui vient t'ébranler dans les racines de ton cœur, c'est l'abandon.

P. : Le sentiment d'être abandonné par mes parents[11].

L.H. : Bien sûr.

P. : Mais une énergie d'en haut est venue me combler.

L.H. : On s'en est occupés, mon ami. On est très proches de vous, plus que vous ne le pensez.

P. : Cette épreuve imprévue était donc prévue comme épuration.

L.H. : Effectivement. Tu constateras dans les mois qui viendront combien ton cœur sera solidifié et tu le sentiras rempli de l'amour de toi-même, mon frère.

P. : Oui, tout ça c'est très bien, dur mais bon.

L.H. : Et voilà.

P. : Père Hardy, j'aurais deux questions à vous poser. Quand on dit que le plan divin est toujours parfait, ce n'est vrai que si les humains s'accordent à ce plan, autrement il serait gâché ?

---

11. Il s'agit du chagrin que j'ai vécu à l'âge de deux ans et qui s'est traduit, lorsque j'ai eu six ans, en crises d'asthme, avec l'intention d'attirer inconsciemment l'attention de ma mère qui s'occupait surtout de mon plus jeune frère. Toutefois, cette manigance n'a pas porté ses fruits. Mon petit compagnon félin m'avait donc rendu un grand service en quittant son corps car, comme il arrive habituellement, la leçon à apprendre est enveloppée d'un deuil, que ce soit la perte d'un être cher, d'une situation ou d'une fortune.

L.H. : Effectivement. Si on regarde ton vécu, tu as franchi deux étapes. Premièrement, la communauté (*les jésuites*) où tu as pris position, où tu as appris à te situer ; deuxièmement, ton éveil, ton rapport avec les êtres de lumière à travers tes écrits, tes œuvres d'art où tu développes consciemment ta sensibilité de l'âme. En étant connecté à celle-ci, tu es davantage connecté au divin.

C'est une sensibilité qui te nourrit d'une force particulière, et plus tu y portes attention, plus tu as besoin de faire ce rapprochement avec toi-même. Ainsi, toute personne qui, à travers son expérience, choisit de se rapprocher du divin se fait aider par des êtres de lumière pour arriver à fusionner avec lui. Cela se passe aussi sur le plan collectif : tout ce qui bouleverse la société est là pour qu'on arrive à cet éveil des âmes, afin qu'elles se rapprochent de l'amour d'elles-mêmes et de ce qui les entoure. C'est là le plan divin.

P. : Et c'est le but de l'œuvre que nous entreprenons.

L.H. : Oui. À travers les énergies, la plupart vont se sentir bousculés.

P. : C'est le signe d'une croissance possible.

L.H. : Effectivement.

P. : Quand c'est trop calme, la croissance s'arrête.

L.H. : C'est pas mauvais d'être bousculé, à condition qu'on soit…

L.H. et P. ensemble : … bien présent.

P. : Merci ! L'autre question touche un magazine français, *La revue de l'au-delà*. Dans celle-ci, les âmes qui communiquent avec les terrestres y sont encore engoncées dans de fausses conceptions religieuses – Jésus crucifié, l'Eucharistie, la virginité de Marie, la nécessité de souffrir pour être sauvé. Pourtant, comme ces êtres supposés de lumière sont là pour enseigner, ils devraient connaître la vérité sur ces questions – il s'agit de défunts tels que Georges Morannier, Roland de Jouvenel, etc.

L.H. : Sache bien qu'à travers tout cela, tout est basé sur le choix que fait leur âme.

P. : C'est cela. Mais ils n'aident pas les terrestres à évoluer, alors qu'il me semble que les âmes d'en haut sont là pour cela.

L.H. : C'est leur but, bien sûr, mais sache que c'est pour ça qu'on met tant d'insistance sur le discernement. Vous voyez bien ?

P. : Oui, c'est une des clés de toute évolution d'âme.

L.H. : À travers certains de ces contenus erronés, vous apprenez à rester ajustés à vos ressentis.

P. : Ne pas entrer dans leur énergie ?

L.H. : Ne pas choisir de vous limiter. Ces êtres sont très attachés à la tradition, ils sont freinés dans leur forme de pensée et ne veulent pas en déroger[12].

M. : Père Hardy, quelle était la mission du chat vis-à-vis de Placide ?

---

12. C'est là un des problèmes avec les traditions anciennes comme celles de l'Europe, en particulier la France et l'Allemagne. Ces peuples ont de la difficulté à remettre en question leurs traditions, en particulier leur religion, pour atteindre à une spiritualité autonome et libérée de toute dépendance à une Église. En France surtout, où j'ai vécu assez longtemps, on est porté à être soit un catholique rigide, soit un hédoniste athée ou un agnostique désabusé. Il n'y a pas de milieu entre ces deux extrêmes qui serait la vie spirituelle, autonome et libérée de toute dépendance traditionnelle, de toute autorité religieuse extérieure à soi.

L.H. : L'amener à prendre conscience, mon frère, à rester très présent à sa sensibilité qui vibre à l'intérieur.

P. : Il s'agissait de vivre cette expérience, de l'accepter et de la dépasser.

L.H. : Voilà. Tu as très bien répondu.

M. : Donc, Minou a bien rempli sa mission ?

L.H. : Oh que si ! Même son énergie (*l'âme*) te fait dire, Placide, qu'il est très reconnaissant du bien que tu lui as fait, ainsi que d'avoir été patient et à l'écoute de ses caprices !

P. : Bien sûr, et il va nous aider.

L.H. : Certainement.

P. : Et nous consoler un peu.

L.H. : Bien sûr, et quand tu seras bien stabilisé sur le plan émotif, tu le ressentiras près de toi.

M. et P. : Merci, père Hardy.

P. : J'ai commencé à écrire sur l'aventure que nous avons vécue avec vous autres, ainsi que sur la genèse du centre, et je compte appeler ça *L'éducation de l'âme*. Qu'en pensez-vous[13] ?

L.H. : Magnifique !

---

13. Tout au long de ces dialogues, le lecteur pourra noter que devant mon mentor, je me place au niveau de l'écolier, alors que je suis un adulte arrivé à maturité. Justement, en matière de connaissance spirituelle, on demeure toujours un écolier, toujours en apprentissage. Même dans le maître que je suis, il y a encore un élève.

P. : Ce sera un petit livre, mais il pourra éclairer les gens sur ce qui s'est passé.

L.H. : Il ne manquera pas de contenu, et comme vous dites, « dans les petits pots les meilleurs onguents ».

(Silence.)

Thérèse de Lisieux : C'est avec joie que je manifeste ma présence.

M. et P. : Bonjour, Thérèse !

T. : Qu'il tombe sur vous une pluie de roses[14]. Sache que j'apporte à ton cœur, mon frère Placide, la consolation. Tu sauras comprendre par la suite combien ton cœur sera renforcé, afin qu'il s'ouvre, tu vois, à d'autres horizons. Tu es en voie, tu le reconnais, de parvenir à cette fusion consciente, de reconnaître ce que tu es – que tu es amour, que tu es divin, que tu es lumière, créateur illimité de toi-même. Et c'est ce que vous êtes, mes âmes.

P. : J'espère entrer dans cette conscience-là !

T. : Tu es en voie, mon frère.

P. : Et vous veillez toujours sur notre projet ?

T. : Oh que si ! Nous privilégions ces lieux, ne vous inquiétez pas, nous sommes avec vous. Et nous vous aimons !

M. et P. : Merci beaucoup, sœur Thérèse !

(Silence.)

F. : Bien, bien, nous prenons place maintenant.

---

14. Sœur Thérèse de Lisieux avait promis avant de quitter le plan terrestre qu'elle passerait, comme elle disait, « son ciel à faire du bien sur la terre » et que cette immense bonté serait symbolisée par une pluie de pétales de rose !

P. : Merci beaucoup, François, tout cela nous éclaire beaucoup.

F. : Bien. Et comment va ton cœur ? (*Le siège du sentiment profond, plutôt que l'organe.*) Il est plus fort, plus solide ?

P. : Je comprends mieux.

F. : Nous te donnons une énergie bien spéciale que tu ressentiras pendant plusieurs mois et qui te sera très favorable. Et n'appréhende point ce que sera demain pour toi. Il sera rempli d'abondance.

P. : Merci beaucoup.

M. : Père François, notre Minou, il est avec qui l'autre côté ? Avec ses amis ?

F. : Oh que si !

P. : Avec Loup Blanc et toute la compagnie ?

F. : Bien sûr !... Un instant…

Petite voix inconnue : C'est avec joie que je manifeste ma présence auprès de vous.

Michel : Minou ?

Voix : Ah, il prend place à travers mon énergie, effectivement.

P. : Loup Blanc ?

Voix : Je le représente, sachez-le bien, il fait partie de la même bande d'énergie.

P. : Ah bon !

Voix : Je m'occupe tout spécifiquement de ces êtres. Appelez-moi Orfi.

P. : Orfi !

O. : Je suis comme une fée[15]. Je m'occupe de ces énergies.

P. : Et ils vont bien ?

O. : Que si. Et je confirme que ton Minou te reviendra, ne t'inquiète pas.

P. : Il a arrêté de souffrir. Il est heureux.

O. : Effectivement. Il est plein de lumière.

---

15. Beaucoup penseront que cette allusion au monde des fées est de l'enfantillage. Toutefois, en 1975, j'ai passé du temps à Findhorn, en Écosse, où j'ai fait l'expérience de la réalité de ces êtres (voir à ce sujet *Les jardins de Findhorn*, Paris, Nature et progrès, 1989). Non seulement le fait de reconnaître l'existence des anges et de leurs semblables, les fées, n'est pas de l'enfantillage, mais c'est au contraire retrouver le regard de l'enfant, qui a été malheureusement remplacé par celui de l'adulte – arrogant, rationnel, insensible et terriblement limitatif. C'est lui qui vit en surface des choses, sur le plan des apparences, des faux-semblants et des illusions, bref, de l'enfantillage !

Rencontre du 7 octobre 2006

Merlin l'Enchanteur[16] : Très heureux de manifester ma présence !

Placide : Bonjour et bienvenue, M. Merlin l'Enchanteur !

M.E. : Effectivement, je veux, par ma présence, vous dire que vous avez été invités à entrer dans la partie magique, dans la partie de vous-mêmes qui est réelle. Vous avez été conditionnés à croire que tout ce qui est extérieur est la réalité, mais c'est l'inverse qui est vrai. Vous avez choisi de vous tourner dans la bonne direction, de vous introduire, au cours de cette aventure, dans la partie magique de vous-mêmes, et de reconnaître des énergies qui vous sont connectées. Nous formons un groupe qui a les mêmes objectifs que vous. Certes, l'enjeu n'est point facile, mais si vous restez dans la position où vous vous sentez enracinés dans la réalité (*invisible*) et nourrissez la conviction

---

16. Merlin l'Enchanteur, qui est perçu par les encyclopédies comme un magicien de la mythologie celtique ou comme un personnage légendaire du roman breton – aujourd'hui comme une pure invention –, est au contraire très réel et toujours vivant, tout comme François et les autres qui nous parlent. Ici, il nous expose le vrai sens de la magie, qui n'est pas la capacité de faire apparaître par un geste et à l'instant une rose, une colombe ou une femme nue – comme cela se fait dans les cirques et les clubs –, mais simplement la conviction que l'invisible précède et matérialise le visible, que la conscience peut tout réaliser ce qu'elle conçoit, la pensée étant créatrice et l'âme étant de nature divine. Cependant, la matérialisation ne sera pas instantanée pour autant – ce serait tomber dans la fausse conception de la magie, celle qui est admise par la masse des gens.

de ce qui est et sera, vous verrez que la clé que vous cherchez est en vous.

Vous voilà prêts à vous tourner vers une autre conception des choses, une autre ouverture qui vous donne l'avantage de voir plus grand, d'élargir vos horizons, d'étendre l'expérience du ressenti, et à d'autres éléments qui s'ajouteront et qui vont vous aider à conserver la position nécessaire.

Vous êtes témoins aussi et conscients qu'il y a, entre autres manifestations, des signes qui vous montrent que nous sommes bien présents à vous. Il y a un pas de plus qui est fait : aussitôt que votre ami l'avocat entrera en activité, le processus sera ensuite accéléré. Il fait des démarches pour prendre les dispositions nécessaires et sachez que nous nous impliquons avec cette âme. Alors, voyez qu'aussitôt qu'il aura fait le premier de ses contacts, le reste suivra en accéléré. Voyez que, dans tout ce processus, vous choisissez d'être bien réceptifs et de reconnaître que cette partie magique vers laquelle vous vous tournez est bien la réalité même.

P. : Pouvez-vous préciser ce que vous entendez par le mot « magique » ?

M.E. : Bien, voici. Prenons votre cas. Quand votre cœur s'est ouvert (en 2003), vous avez partagé avec François d'Assise le dilemme dans lequel vous vous sentiez pris et qui vous empêchait d'avancer (vers la réalisation d'un rêve). Vous étiez pris dans le mental. Toutefois, François vous a fait comprendre que tout était réalisable à partir d'abord de l'attitude positive qui enracine la conviction que tout est déjà acquis. Or, plusieurs années auparavant, vous n'auriez pu faire ce changement, vous étiez pris dans la raison. Donc, ce qui se réalise, qui devient réel, c'est l'éveil de votre conscience, de votre âme et qui vous fait voir que tout est interrelié, qu'il n'y a ni temps ni espace, et que tout ce qui est nourri de vos pensées se manifeste.

Ce qui met le frein chez la plupart, c'est qu'ils ne sont pas conscients de cette réalité. Ils s'y fermeront en vous disant que vous rêvez en couleurs, car ils croient que l'argent vient de l'extérieur. Voyez que dans la démarche que vous avez entreprise, vous avez accepté de vous impliquer et de vous ouvrir à la réalité – celle que j'ai décrite depuis le début. Vous voyez maintenant que vous allez atteindre le but. Nous vous le confirmons. Nous avons bien perçu chez vous la simplicité et la joie. Mais vous vous sentez tous deux restreints sur le plan maté-riel, nous en sommes témoins. Il faut déprogrammer votre pensée et voir que vous n'êtes pas restreints, que vous avez tout à votre disposition. Ainsi, le processus s'inversera.

Voyez, mes âmes, connectez-vous à l'énergie (*le mot qui signifie «âme» pour les gens de l'au-delà*). Frère Placide, dessinez encore un soleil et, dans celui-ci, mettez un coffre rempli d'écus. Que la prospérité se manifeste – qu'il en soit ainsi! Lorsque vous le ferez, nous serons bien présents avec vous et vous ressentirez, au niveau de l'âme et du cœur, que c'est déjà un acquis pour vous.

Pour ta part, Michel, vois-toi comme le magicien, tu es magicien. Vous êtes tous des magiciens. Perçois que tu as cette baguette magique (*l'énergie de ta pensée*), elle peut tout transformer. Je te confirme à ton tour, mon frère, que tu ne manqueras pas d'argent et que tu auras ce qu'il faut pour t'acheter un bon boghei!

Soyez de plus en plus convaincus que tout est pos-sible.

(Silence.)

F. : Voilà, je prends place.

P. : François, on sait où l'on va à présent, c'est là l'important.

F. : Voilà bien.

P. : Il s'agit de ne plus bloquer l'énergie, mais de laisser couler la Source.

F. : Effectivement.

P. : En ce qui regarde les gens qui viendront à notre centre, il va falloir des gens ouverts.

F. : Sachez qu'elles seront bien guidées, ces âmes qui seront dirigées chez vous. Elles seront éclairées de la même lumière que la vôtre.

Michel : Frère François, j'ai une question pour vous. Je me soucie du propriétaire Robert.

F. : Oh, ne faites pas la mère poule ! Il a quelque chose à comprendre dans cette expérience et il a le choix de le voir. Il a à apprendre pour sa part – tout comme vous l'avez fait – à s'ouvrir à cette conscience. Il a tout misé sur le matériel, et maintenant il a l'occasion d'en sortir. Le choix lui appartient. Mais nous veillons sur ces âmes, sachez-le bien.

M. : François, tout va bien, mais nous avons hâte de quitter le B.S. (*bien-être social, plus précisément l'aide sociale*), si vous voyez ce que je veux dire ?

F. : Ça veut dire… bien-être… et sagesse !

(Rires abondants.)

Rencontre du 22 octobre 2006

Merlin l'Enchanteur : Frère Placide, l'objectif de cette rencontre est de vous relier à votre cœur. Depuis votre présence sur la mère terre, combien d'efforts vous avez faits pour vous trouver une place qui réponde à votre si grand besoin d'être aimé ! Il vous arrive encore de ressentir un vide – vous cherchez tant l'âme qui pourrait combler votre cœur –, mais comprenez que depuis que vous venez consulter l'Ensemble, vous avez pris conscience que c'est la Source (le divin que vous êtes) qui peut vous remplir le cœur, en vous fusionnant à elle. Alors, voyez que vous vous êtes accordé tous les avantages de vous choisir heureux. Sachez bien que, dans cette vie, votre âme était d'accord pour entrer dans cet apprentissage de vous-même, de vous y apprivoiser, de vous aimer pour ce que vous êtes. À travers cela, vous avez laissé la porte ouverte pour laisser nourrir l'amour de vous-même, la sensibilité de votre âme à travers votre art et les enseignements que vous donnez avec un amour inconditionnel. Nous vous disons cela, chère âme, pour que vous ne nourrissiez pas l'impression que vous avez stagné sur vous-même, bien au contraire : dans cette vie, vous avez choisi de vous concentrer sur vous, pour vous relier à vous-même, vous relier à ce divin que vous êtes. Ayez la certitude que cela a été réalisé. Restez bien ouvert et réceptif à toutes les occasions qui se présenteront dans le but de vous combler, chère âme.

Rencontre du 1er décembre 2006
(après une opération au cœur)

Louise (*en état de clairvoyance*) : Placide, je vois François d'Assise qui est juste derrière toi, les mains sur tes épaules. Il dit qu'ils t'ont aidé.

Placide : J'ai senti en effet une énergie et une joie constante tout le long de l'épreuve.

L. : Il se dit aussi très content que tu sois resté à l'écoute de ce que tu sentais (*avant l'entrée à l'hôpital*), que tu aurais pu remettre ou négliger ces signes sentis, ce qui aurait causé un dommage grave à ton corps.

P. : C'est sûr.

L. : Je vois maintenant l'aura de ton cœur physique. Il est encore un peu au ralenti, mais François dit qu'il va y mettre une énergie qui va permettre au cœur de reprendre force. Bien sûr, il faudra quand même être prévoyant et attentif, ne pas faire d'efforts et te reposer dès qu'il y a un signe de fatigue. Tu vas sentir un changement dans les jours qui vont suivre et après cette transition, ton cœur va se stabiliser… Je te vois dans la chambre d'hôpital (*aux urgences*), c'était bourré de monde. Les êtres de lumière y étaient et prenaient la relève des équipes médicales. Je vois ton ange de lumière à côté de toi. Il me dit que tu as beaucoup donné par ta générosité, ton amour inconditionnel. Il admet que le parcours n'est pas toujours facile, mais même dans tes périodes de restriction financière, ils ont toujours été présents pour veiller sur toi – il est toujours arrivé quelque chose pour que tu ne manques de rien.

P. : C'est tout à fait vrai : l'argent arrivait toujours à la dernière minute, mais il arrivait et toujours de façon inexplicable pour moi.

L. : Il dit que tu n'as à avoir aucun regret quant aux choix que tu as faits dans ta vie ; ça devait être ainsi.

P. : C'est aussi de cette façon que je le vois.

L. : De plus en plus, tu vas sentir les êtres de lumière et capter leurs messages.

P. : Bon, quelle belle nouvelle !

L. : Je demande maintenant à ton ange ce qu'il en est du projet. Il me répond que les êtres de lumière font leur part, mais que pour agencer concrètement les événements sur le plan physique, c'est pour eux une entreprise complexe, tout comme de notre côté nous trouvons compliquées les façons d'agir de l'au-delà. Quant au projet, tout est en voie sur le plan de l'énergie pour que les choses se fassent en votre faveur.

(Silence. Louise entre en transe.)

François d'Assise : Bien ! Très heureux d'être ici à cette rencontre bien spéciale.

Michel et P. : Bonjour, François.

F. : Oh, cher frère Placide, comme nous nous sommes occupés de vous !

P. : Oui, je vous remercie. Je le sentais, tout est arrivé de la meilleure façon possible.

F. : Bien sûr. Nous avons même été étonnés, chère âme, de voir combien il y a de départements dans ce lieu que vous appelez hôpital[17]. C'est très compliqué ! Mais vous étiez entre bonnes mains, n'est-ce pas ? Comme on dit, vous avez été traité aux petits soins ! Sachez, entre autres, que nous nous sommes grandement occupés de votre remise en forme.

P. : Je vous ai d'ailleurs très souvent invoqués.

F. : Et nous avons bien capté vos messages.

P. : Je me disais qu'un déroulement si harmonieux ne pouvait être que votre œuvre.

F. : Bien sûr. Alors, il faut demeurer prévoyant, s'occuper de son cœur (*l'organe*). Ne pas se surcharger de travail, savoir se détendre : pratiquer la sagesse à l'égard de vous-même. N'oubliez pas que votre cœur est imprégné de beaucoup de mémoires. Dans ce cœur, il y a des fissures qui vous ont affecté…

P. : Des habitudes, des façons de penser pas toujours saines.

F. : Voilà bien.

P. : Présentement, le cœur est survolté.

F. : Il est en train de se régénérer. Sachez bien, en ce qui vous préoccupe (*le projet*), n'appréhendez point, nous y imprégnons de l'énergie pour que tout cela puisse vous favoriser. Les choses sont retardées parce que votre ami l'avocat ainsi que l'autre ami qu'il devait impliquer

17. Pendant tout ce va-et-vient dans les divers départements pour observations, examens et opérations, les compagnons du ciel m'accompagnaient, puisqu'ils sont toujours présents. Au XIIIe siècle où vivait François, l'hôpital comme nous le connaissons aujourd'hui n'existait pas.

n'étaient pas tout à fait prêts à s'engager. C'est une période très occupée pour eux, et cette implication dans votre projet chambarde beaucoup leurs habitudes et leurs attitudes.

P. : Cet avocat va donc finir par faire un travail ?

F. : Oh, n'appréhendez point ! Nous allons même travailler directement sur lui. On va brasser les choses un peu plus fort ! Toutefois, conservez toujours la joie et la certitude que tout cela est déjà acquis, réalisé. Il faut garder confiance… Un ami veut vous parler, un instant.

(Silence.)

Lucien Hardy : Ah ! Salut, salut mon frère Placide !

Michel et P. : Bonjour, père Hardy.

L.H. : J'ai senti que tu avais besoin de capter ma présence, de sentir que j'étais là. Je suis venu te brasser un p'tit peu !

P. : Merci beaucoup.

L.H. : Et je peux te dire : sois sans crainte, tout va s'arranger pour le mieux. Le fait d'avoir changé de lieu permet de purifier toutes les vibrations négatives imprégnées dans tes énergies. En ville, c'était très lourd, et là tu vas t'imprégner d'une tout autre énergie.

P. : C'est vrai.

L.H. : Alors, celles qui faisaient interférence sont en train de s'éliminer.

P. : Il faut que tout ça s'en aille.

L.H. : Bien sûr.

P. : Et c'est vous qui faites ce travail ?

L.H : C'est ça.

P. : Et j'y collabore.

L.H. : Voilà ! Car nous te sentons bien en accord.

P. : Oui, j'ai senti que j'étais accordé sur le plan divin.

L.H. : Et voilà. Tu as besoin aussi de la paix et du repos, car tu as été envahi par les uns et les autres de toutes parts (*pendant mes 25 ans à Montréal*). Tu as besoin de te retrouver toi-même, de renforcer tes champs vibratoires.

P. : C'est pour ça que j'ai cessé tout contact avec beaucoup de gens.

L.H. : Ce n'était pas par hasard, car tu as fait le choix de te donner un délai. Tu avais besoin d'épurer tout ce qui s'était collé à toi. Alors, tu es en train de te refaire à neuf et de repartir à neuf. Tu vois bien, mon frère ? Alors, ne t'inquiète pas, sois confiant.

P. : Dès le début de mon mal, j'ai senti que vous étiez tous là, vous, François, et en particulier Thérèse de Lisieux qui avait été présente lors de mon opération en 1992.

L.H. : Oh ! Elle est maintenant aussi bien présente. Et elle veut te parler. Alors, mes amis, tout comme vous, nous ne lâchons pas, nous sommes bien avec vous ! D'accord ? Je te salue, Placide, et prends toujours soin de toi.

M. et P. : Au revoir, père Hardy !

L.H. : Je vous aime, au revoir !

(Silence.)

Thérèse de Lisieux : C'est avec joie que je manifeste ma présence !

M. et P. : Bonjour, sœur Thérèse !

T. : Bien. Il pleut sur vous une pluie de pétales de rose, mes âmes. Cette énergie vous enveloppe de beaucoup d'amour, vous imprègne de la lumière et de nos présences. Qu'il est bien, tu vois, frère Placide, qu tu aies conservé ce contact si précieux, sachant que je t'y accompagne. Je suis toujours avec toi. Je sais du reste reconnaître toute l'intensité de ce qui est imprégné dans ton cœur. Combien tu as souffert, chère âme, pour parvenir à trouver ce que c'est l'amour et à t'en laisser imprégner ! Ce qui t'a soutenu dans tout cela, c'est cette force en toi vers laquelle tu te tournes, à laquelle tu demandes et en laquelle tu crois intensément, c'est-à-dire au divin que tu es. Laisse-toi envelopper de ta lumière. Perçois que ton cœur est pur et n'aie aucun regret de ce qui a été.

(Silence.)

Ma mère Valentine : Ah ! mon cher fils, que je suis contente d'être avec toi !

P. : Bonjour, maman !

V. : Ah ! Si tu savais comme on a travaillé fort, et j'étais tellement rassurée de voir que tu étais entre bonnes mains (*pour l'opération*).

P. : Oui, j'ai invoqué toute la famille d'en haut plusieurs fois (*mes parents, frères et sœur, oncle Olivier*).

V. : C'est pour ça que je suis venue te confirmer que nous t'avons bien entendu. Je t'embrasse très fort. Continue de prendre soin de toi.

P. : Je vais faire ça. Merci beaucoup, maman.

M. : Bonjour, madame Valentine – comme on vous appelle !

V. : Bien sûr. Cher Michel, je veux te remercier, exprimer ma reconnaissance, tu vois, pour le bien que tu fais à mon fils ! C'est grandement apprécié. Et tout cela, sache bien, te sera rendu au centuple et même plus encore.

M. : Ce que je fais, ça va de soi, je pense.

V. : Oh oui ! On s'occupe aussi de toi, ne t'inquiète pas ! Je vous embrasse tous deux et je vous aime !

M. et P. : Merci beaucoup !

M. : Madame Valentine, j'aimerais si possible parler à Jim Pike, fils, qui pourrait nous aider auprès d'une personne qui veut sortir de la drogue.

V. : Juste un instant. Au revoir, je vous embrasse.

(Silence.)

Jim Pike[18] : Ici, Jim. Très heureux d'être présent auprès de vous. Bonjour !

M. : Je n'ai pas eu de succès avec les deux jeunes précédents dont je me suis occupé, j'espère que ça ira mieux avec mon ami Mathieu.

J.P. : Oh ! Sache que nous lui donnons un coup de main bien particulier. Ce n'est pas par hasard qu'il vous a été envoyé. C'est bien que vous ayez lâché prise vis-à-vis de ces deux autres, leur laissant ce qui leur appartient. En ce qui regarde votre ami, sache que nous nous impliquons en sa faveur. Ce que tu as appris des autres expériences te permet de te rendre disponible tout en acceptant ce qui s'ensuivra. Car lui seul a le pouvoir de se choisir. Tu

---

18. Il s'agit du célèbre évêque épiscopalien américain, un théologien et juriste qui a quitté son Église et qui s'intéressait beaucoup au monde de l'au-delà, surtout depuis le décès de son fils.

es auprès de lui pour alimenter chez lui une tout autre conscience. Car sache que son âme se rend compte qu'il n'a pas à continuer son autodestruction et son refus de lui-même. Son âme veut progresser et tu lui sers de guide, car lui-même ne sait sur quoi s'appuyer et comment s'en sortir.

M. : Vous savez qu'il a été bouleversé très jeune ?

J.P. : Bien sûr !

P. : N'est-ce pas la conséquence de vies antérieures ?

J.P. : Effectivement. Et il fallait, sachez bien, qu'il soit encore impliqué dans la même impasse pour que son âme puisse être capable de s'en libérer et de s'ouvrir à elle-même.

M. : Est-ce que ça peut expliquer ses tentatives de suicide ? Son estime de soi va-t-elle revenir ?

J.P. : Bien sûr.

P. : Ce sont des épreuves de faiblesse qui l'invitent à s'en sortir.

J.P. : Effectivement. Sachez bien que je m'implique auprès de lui. Du reste, il est marqué dans l'agenda de la médium Louise Lamoureux pour une rencontre et nous l'attendons tout spécialement.

M. : Je pensais qu'il y était hier ?

J.P. : Cela a été remis. (*Ce que nous ignorions.*)

M. : Jim, je pense souvent à toi, en te nommant.

J.P. : Je l'apprécie beaucoup.

M. : Et ça avance pour toi de l'autre côté[19] ?

J.P. : Oh ! Ma conscience a grandi et tu sais quoi ? Je vais revenir sur le plan de la mère terre pour m'impliquer auprès des drogués, ce sera ma mission.

M. : Vous étiez un pro dans le domaine !

J.P. : Oui, mais maintenant, je serai un pro positif, tu vois.

M. : C'est bien un fléau, cette drogue ?

J.P. : Je pourrais te dire que c'est une forme de parasite qui détruit.

M. : C'est dû à quoi, ce phénomène ?

J.P. : C'est dû à des émotions négatives – la peur d'entrer dans la réalité de ce qu'ils sont.

P. : Ne voulant pas s'accepter, s'aimer, ils cherchent à s'évader d'eux-mêmes au point qu'ils dépendent de cette évasion pour vivre, perdant tout sens des responsabilité et incapables de s'en sortir.

J.P. : Effectivement, tu sais très bien le définir.

M. : Donc, tu vas revenir en pleine force.

J.P. : Bien sûr. En me permettant de descendre pour aider beaucoup de monde, cela va m'aider en même temps à progresser et à éliminer cette souffrance qui m'a drainé pendant plusieurs expériences de vie.

---

19. Nous sommes témoins que depuis la dernière fois qu'on a parlé à Jim (voir dans *Les compagnons du ciel*), il a mûri beaucoup, est devenu plus calme, et son esprit est très clair. Il a accepté de se pardonner et de s'aimer, et cette action primordiale doit se faire ici-bas ou après, car on ne peut l'éviter si on veut entrer en croissance.

M. : Comment pourras-tu en aider plusieurs simultanément ?

P. : Comme nous pouvons penser à plusieurs personnes en dedans de quelques secondes.

J.P. : Voilà. Tu cernes très bien. Tu es un bon prof et tu enseignes la bonne matière, avec une bonne philosophie de vie. Ceux qui viennent vers toi pour t'entendre ont choisi de se privilégier, ceux qui te lisent également. Tu es un très bon éclaireur, tu sais !

P. : Merci bien !

J.P. : Je sais te reconnaître aussi dans la grande générosité que ton cœur répand. C'est tellement bien apprécié. Cela vaut aussi pour toi, Michel, en le faisant sur un autre plan, en te rendant disponible. Et tu apprends à utiliser ta générosité de façon plus sage. J'apprécie grandement ce que tu fais.

M. : Merci beaucoup, Jim !

J.P. : Et merci de penser à moi.

Rencontre du 14 janvier 2007

Louise (*en état de clairvoyance*) : Placide, une fois arrivé sur la ferme, tu vas écrire un livre inspiré par les âmes de lumière. Je te vois écrire. Ce livre contiendra un message très important, une révélation, qui aura pour but de faire connaître aux gens la source de la vérité, en particulier celle qui concerne Jésus. Ceux qui t'inspireront sont des êtres très grands ; ils se nomment Esséniens. Pendant que tu vas écrire ce livre, tu seras en état de transe, connecté à l'intemporel. Cela pourra se faire de jour comme de nuit, mais tu seras rempli d'une sorte d'extase. Au lieu de te sentir vidé, tu te sentiras rempli par cette écriture.

Placide : Imhotep m'en avait parlé dans une rencontre précédente.

L. : Oui, et il y revient. Il dit que l'énergie de Jésus en fera partie. La vibration sera tellement forte que tu vas te sentir comme emporté.

(Elle entre en transe.)

François d'Assise : Mes frères, lorsque vous en sentirez l'impulsion, prenez contact avec votre ami l'avocat. Faites-lui part qu'il sert de clé dans ce projet. Faites-lui part également que c'est l'Ensemble qui a proposé ce contact avec des donateurs éventuels. N'oubliez pas que c'est votre ami l'avocat qui sera la clé qui permettra de découvrir la merveille.

[...]

Lucien Hardy : Ah ! Je suis tellement heureux que vous soyez demeurés fidèles et confiants que nous sommes bien présents avec vous. Je te propose, quand tu en sentiras l'impulsion, de prendre au hasard un passage de la Bible et tu auras une confirmation. D'accord ?

P. : Oui[20].

--- ⸻ ---

20. Le texte qui est apparu en ouvrant le livre est : « Dieu me rétribue selon la pureté de mes mains, car j'ai gardé les voies de Dieu. [...] Ses volontés, je ne les ai pas écartées, mais je suis irréprochable devant lui. [...] Il me rétribue selon ma pureté qu'il voit de ses yeux. [...] Tu es un ami avec l'ami, sans reproche avec l'homme sans reproche. [...] La voie de Dieu est sans reproche. » (Psaume 18) Cela rappelle la parole de Thérèse prononcée le 1er décembre 2006 : « Perçois que ton cœur est pur et n'aie aucun regret de ce qui a été. » Et cette autre parole reçue d'un groupe d'âmes appelées les Lumières qui voyagent : « Le plan de Dieu est toujours parfait. »

Rencontre du 4 mars 2007

François d'Assise : Bien, bien, très heureux n'est-ce pas d'être avec vous ?

Placide : Sûrement que c'est François !

F. : Voilà. Tellement content que vous soyez de plus en plus confiants et certains que nous nous occupons de vous.

P. : Tout ce qui est promis se réalise.

F. : Bien sûr. Ne vous inquiétez pas, nous brassons l'énergie de l'avocat Jean, qui doit assurer la fondation de l'œuvre puisqu'il en est la clé.

P. : Oui, il était très bien disposé quand je l'ai rencontré.

F. : Effectivement, et sachez que les intentions de cette âme sont très pures. Il est très réceptif. Eh que nous étions là présents avec l'avocat et vous !

P. : Nous avons également reçu une pluie de dix cents ! Vous aviez dû attaquer une banque ?

F. : Oui, bien sûr ! Oh que nous sommes présents avec vous !

Michel : À un moment donné, en visitant la ferme proposée, on s'est arrêtés sur le chemin qui est devant et on a vu deux figures humaines à une distance de 30 mètres venir vers nous. Ils étaient habillés de trench-coats noirs.

On ne voyait pas leur visage. Et soudain, ils avaient disparu. Comme on avançait vers l'endroit où ils étaient, on ne voyait aucune trace de pas dans la neige qui menait vers le bois. C'était vous autres ?

F. : Bien sûr. On voulait vous donner confiance. J'étais en effet avec Lucien, le mentor de Placide.

P. : Vous ressembliez à des hommes d'affaires !

F. : C'est ce que nous brassons avec vous, n'est-ce pas ?

P. : Donc, c'était ça.

F. : Effectivement, nous faisons les démarches avec vous.

P. : Maintenant, s'il vous plaît, j'aimerais parler au Maître Jésus.

F. : Un instant, un instant ! Nous allons élever nos vibrations, mes âmes.

(Silence.)

Jésus : Avec joie, je manifeste ma présence auprès de vous, mes frères ici présents ! Combien nous vous observons, nous captons toute la pureté de vos âmes.

P. : Merci, Maître Jésus ! J'aimerais maintenant vous poser quelques questions.

J. : Bien sûr, bien sûr, mon frère.

P. : Je sens depuis quelque temps une sorte de fusion avec la Source, avec le Père éternel.

J. : Chère âme, écoutez bien ceci. Depuis que votre âme et votre cœur acceptent d'être connectés aux énergies de l'Ensemble, il se fait un travail sur le plan des vibrations. Nous avons ouvert la porte : en accord avec votre âme, nous vous avons introduits dans cette sensibilité élevée. Alors, vous voyez maintenant que vous vous sentez connectés à la Source.

P. : Je le sens très fort.

J. : Voilà !

P. : Je voudrais aussi mettre au point tout ce qu'on a dit à votre sujet – la souffrance, l'idée d'être la victime du Père, la mort pour nos péchés, la crucifixion, la résurrection. Il me semble que ce soit avec saint Paul qu'on a commencé à fausser le sens et les événements de votre destin.

J. : Bien sûr ! Toutefois, je vous fais remarquer que ce n'est pas de cette vie-ci que vous suivez la trace du bon enseignement. Vous avez été appuyés par vos convictions, de sorte qu'au moment où vous vous êtes éveillé à vous-mêmes, vous avez pris conscience que ce qui était propagé n'était pas la pure vérité.

P. : En effet. C'est dire que, dans votre cas, Maître Jésus, il n'y a eu ni chemin de croix, ni crucifixion, ni victime du Père sauvant le monde par sa souffrance ?

J. : Non. Et ce qui est déplorable, voyez bien, c'est qu'à travers les siècles on projette l'image de l'amour de mon Père de cette façon : on a enseigné qu'il fallait souffrir pour se rapprocher de cet amour.

P. : Donc, une fois votre mission accomplie – rappeler aux humains qu'ils sont tous des enfants aimés de Dieu et qu'ils doivent s'aimer les uns les autres comme tels –, vous êtes parti avec quelqu'un vers l'Inde ?

J. : En Inde, effectivement.

P. : Et vous avez eu une famille ?

J. : Bien sûr.

P. : Dont on ne retrouve plus la lignée aujourd'hui ?

J. : Voilà.

P. : Va-t-on finir par pouvoir corriger toutes ces déviations ?

J. : Bien sûr, la vérité resurgira.

P. : Cela pourrait venir de l'Égypte (par des manuscrits enfuis sous les pyramides) ?

J. : Bien sûr. En ce qui regarde cette vérité, elle peut aussi surgir de vous individuellement. Ayant accepté de vous ouvrir à l'éveil de votre conscience, d'élever votre âme, de vous ouvrir sur d'autres horizons, vous vous approchez de cette vérité.

P. : Il s'agira d'une vérité vécue et qui ne vient pas d'un texte ?

J. : Effectivement. Tu as bien compris.

M. : Ces fausses interprétations durent encore.

J. : Oui, bien sûr.

P. : On doit simplement ne pas s'en occuper et œuvrer d'une autre façon.

J. : Par ce que votre cœur ressent.

P. : Merci beaucoup pour ces confirmations et ces éclaircissements, Maître Jésus !

J. : Frère de lumière, Michel, sachez que nous veillons sur toi de façon bien spéciale.

M. : Merci beaucoup !

J. : Nous captons la sensibilité de ton âme et de ton cœur. Combien tu as grand besoin d'être aimé ! N'oublie pas que tu n'es pas seul. Retourne-toi vers toi-même et aime-toi pour ce que tu es.

M. : Merci encore, Jésus !

J. : Bien.

P. : Pouvez-vous veiller aussi sur sa santé ?

J. : On va s'en occuper, bien sûr. Je vous bénis, mes âmes, vous êtes les enfants de mon Père. Restez baignés dans l'amour – dans l'amour universel, dans l'amour individuel – et répandez cette lumière autour de vous.

P. : C'est ce que nous allons faire avec votre aide.

J. : Bien sûr que je participe avec vous !

Rencontre du 21 mars 2007

Lucien Hardy: Ah ! Salut, mon frère Placide !

Placide et Michel : Bonjour, père Hardy !

L.H. : Salut, mon frère Michel ! Tellement content, tellement content de pouvoir partager avec vous cet enthousiasme.

P. : On n'a pas flanché, hein ? On a tenu bon ?

L.H. : Oh ! Vous avez été solides, vous avez été solides !

M. : Père Hardy, pouvez-vous nous expliquer les retards, les délais de toutes sortes qui ont ralenti notre projet ? Est-ce à cause de nous ?

L.H. : C'est complexe, tu vois. Il y a d'abord le fait de manier la matière qui est parfois difficile à cause des interférences – c'est comme le vent, vous ne savez jamais quand il tournera.

P. : Ah ! C'est une bonne image : on ne peut le contrôler.

L.H. : Il y a aussi votre collaboration avec l'Ensemble, pendant laquelle nous nous sommes permis de faire certains ajustements pour vous aider à vous harmoniser avec nous… Il y a par ailleurs – comme vous voyez, on était bien présents à votre conversation lors du déjeuner (qui vient d'avoir lieu) –, le fait qu'il n'y a pas de hasard dans la façon dont les choses se sont déroulées, ce qui rend tout très complexe !

M. : L'autre jour, on a bien vu deux hommes en trench-coats noirs, mais on n'a pas vu leurs visages !

L.H. : Oh ! Nous n'avons pas senti que c'était important. Il s'agissait surtout d'attirer votre attention.

M. : Et vous nous avez bien eus !

P. : Vous aviez l'air de deux détectives !

L.H. : On inspectait les lieux, mon frère !

P. : C'était bizarre : c'est pas normal de voir deux figures de ce genre dans les parages. C'était un peu du théâtre que vous faisiez ?

L.H. : On s'amusait bien.

P. : Père Hardy, nous avons fait laminer votre photo dans le but de l'exposer avec plusieurs autres figures inspirantes sur notre mur de la salle de conférence. Et on va placer un grand papillon au centre.

L.H. : Cela symbolisera que nous sommes les gardiens de ce lieu. Le papillon, c'est la métamorphose, l'ensemble de ce que vous avez vécu – la transformation.

P. : Ça a beaucoup de sens, tout ça !

Rencontre du 2 juin 2007

Louise (*en état de clairvoyance*) : Ah ! C'est beau ce que je vois. Placide, je te vois dans une pyramide dorée, sur laquelle un soleil envoie ses rayons. Tu es à l'intérieur et c'est là que tes amis t'attendent : je vois ton père, ta mère, ton frère Gabriel, ton oncle Olivier qui est tout souriant et qui dit : « L'attente de l'héritage, c'était bien sûr un "faire accroire". Pourtant, tu vas l'avoir cet héritage, mais d'une autre façon. » Je vois aussi Lucien, ton mentor, François d'Assise, je vois aussi Jésus. […] Tu es avec le groupe comme si tu venais à leur rencontre : on t'attendait. Tu es en train de faire des plans avec eux. Chacun émet son point de vue. Sur les lieux où vous allez vivre, il va y avoir une pyramide d'énergie sous laquelle le groupe va être rassemblé, prêt à te recevoir. Je vois Jean l'avocat. C'est important pour lui d'aller jusqu'au bout de l'aventure, même s'il y a eu de l'obstruction qui l'a retardé. Il fallait qu'il dépasse l'opposition parce que, vois-tu, il a une dette de reconnaissance à ton égard qu'il veut acquitter. Il va aller jusqu'au bout pour remettre ton dû. C'était déjà dans les plans de son âme. […]

Michel, je peux te dire qu'à travers cette démarche, tu as appris à être bien patient. Cela t'a fait aussi prendre conscience que le temps n'a pas d'importance, c'est ce qui est qui compte. Au bout de ta course, tu fais tout pour atteindre l'objectif et à travers ce que tu expérimentes, tu acquiers plus de sagesse et de compréhension. Donc, tu développes d'autres réflexes pour rester sur la route, pour ne pas dévier. Ces étapes vécues t'étaient nécessaires, surtout le fait de comprendre combien c'est important de prendre soin de toi, d'être positif face à toi. Cette étape devait être franchie, autrement tu ne serais pas arrivé où tu es présentement.

(Louise entre en transe.)

François d'Assise : Bien, bien, très heureux d'être présent parmi vous.

Placide : François, les choses ont été difficiles ces derniers jours.

F. : En effet. Et nous étions présents avec vous. Sachez que nous avons aussi fait des ajustements afin de vous aider à ne pas lâcher.

P. : Oui, on a failli lâcher à un moment.

F. : Et il ne fallait surtout pas, mes âmes. C'est une étape qui vous fait grandir dans la foi. Vous connaissez d'ailleurs mon histoire, frère Placide ?

P. : Oui, vous avez eu beaucoup de peine à réaliser votre œuvre.

F. : Tout ce que j'ai mis en œuvre pour fonder ma communauté. Vous connaissez le parcours, n'est-ce pas ?

P. : Oui, très bien.

F. : On a même essayé de me faire passer pour fou.

P. : Il faut l'être un peu, hein ?

F. : Ah ! Vous avez bien raison, mais d'une folie qui est sage.

P. : Une folie qui sait où elle va.

F. : Voilà. Nous vous le redisons, chère âme, combien nous sommes présents avec vous. Sachez que lors de cette prochaine démarche nous serons bien là.

P. : Ça va se faire très bientôt, nous l'espérons.

F. : La dernière étape – la signature[21] – sera très précieuse puisqu'elle donnera un sens à tout ce que vous avez entrepris.

P. : Oui, ce sera en tout point la conclusion finale.

F. : Voilà.

P. : En même temps, ce sera le nouveau départ.

F. : Effectivement. Et nous sommes déjà sur les lieux.

P. : Oui. On ne peut encore attendre pendant des mois.

F. : Justement. Ça se fera d'une façon plus accélérée. N'appréhendez pas, mes âmes.

P. : Et mon ami, le père Hardy, est-il dans les environs ?

F. : Oh ! Il est juste à côté ! Un instant.

(Silence.)

Lucien Hardy : Ah ! Je suis tellement content ! Et je vous apporte la bonne nouvelle, les amis. Sur le plan énergétique, je t'apporte déjà la clé de la propriété, frère Placide. Si vous saviez comment on est près de vous. Et nous étions là pour vous brasser lors des dernières hésitations.

P. : Cette nouvelle négative venant de Jean selon laquelle il faudrait des mois avant de recueillir les fonds nécessaires et qu'il n'était pas question qu'il assume les frais

---

21. La signature aura lieu en fait le 20 juillet chez le notaire Michaud, à Saint-Paulin.

d'un tel projet. C'était, comme on dit, la cerise sur le gâteau ! Après ça, l'élastique allait se briser.

L.H. : On s'est arrangés pour que cela n'arrive pas, pour qu'il ne pète pas !

P. : Je sentais comme Michel qu'on ne pouvait aller plus loin, mais en même temps qu'il fallait tenir encore. Je sentais que j'étais fait pour réussir ce projet.

L.H. : Voilà. C'est moi qui t'ai fait sentir cela. Et je dois vous dire combien je vous apprécie, combien nous vous aimons, combien nous admirons votre ténacité, votre détermination dans tout cela !

P. : On a été fidèles jusqu'au bout !

L.H. : Voilà. Et vous continuez de l'être.

(Silence.)

F. : Bien, nous prenons place. Est-ce que cela vous a satis-faits ?

P. : C'était parfait, encourageant. Le drame est fini.

F. : Voilà, c'est très sage de le voir ainsi, mon frère… Alors, mes âmes, conservez la paix dans vos cœurs, restez con-nectés aux nôtres, restez connectés aussi à tout ce que vous avez rêvé et choisi à travers tous vos efforts. Sachez que vous n'avez rien perdu en retour, ce que vous avez semé vous le récolterez, mes âmes !

Dernière rencontre le 30 juin 2007
(la ferme est achetée depuis le 25 juin)[22]

Louise (*en état de clairvoyance*) : Je vois une pluie de joie qui tombe. Dans la maison où vous allez demeurer, il y a une énergie spéciale. La propriété est un lieu qui vous est privilégié.

Dans la maison, les êtres de lumière ont déposé leurs énergies.

Il y aura un autre monsieur qui va s'impliquer : il s'agit d'une personne à la parole facile, un ami de l'avocat Jean (*peut-être son ami avocat Michel*). Il a une belle énergie.

À la porte de votre maison, je vois l'ange de l'abondance, de la réussite et des dons à venir.

Michel, maintenant que la porte va enfin s'ouvrir, n'oublie pas d'y aller mollo – ne pas prendre tout sur toi, ne pas gérer en faisant de tout une charge à porter. Il y a un jeune homme qui t'aidera, qui t'appréciera, qui voudra te demander conseil et qui se sentira valorisé si tu lui fais confiance. (*Ce jeune homme est en effet apparu.*)

Ceux qui viendront font partie d'une famille spirituelle. Ceux qui feront équipe avec vous seront guidés.

---

22. Comme cette rencontre n'a pas été enregistrée, je n'ai pu prendre que quelques notes.

Ce sont de vieilles âmes qui se retrouvent (*c'est-à-dire qui se sont incarnées plusieurs fois*).

Il y a un arbre spécial sur votre terrain – ce grand pommier – qui dégagera une énergie incroyable et servira de pylône énergétique.

(Elle entre en transe.)

François d'Assise : Enfin, l'aboutissement est arrivé, votre quête est terminée !

Placide : Oui, ce que vous aviez promis s'est manifesté, vous l'avez réalisé.

F. : Comme ce que vous vous étiez promis, vous vous l'êtes donné à vous-mêmes. On était là pour que ça ne dévie pas. L'endroit choisi sera un lieu de grande réjouissance, de célébration et de grandes retrouvailles !

P. : Ça a été très long et difficile, mais on y est arrivé !

F. : Oh ! On a sué, nous aussi, vous savez ! On a été fidèles.

P. : De notre côté, on a commencé à comprendre un peu comment ça fonctionne dans le domaine invisible.

F. : Eh oui, et il faudra continuer dans les mêmes dispositions – dans la certitude, dans la force de ce qui est, et non dans la peur de manquer. C'est dans l'abondance que vous devez établir votre cœur, c'est cela que vous devez choisir.

Frère Michel, sache combien je vais m'impliquer avec les animaux qui seront sur la ferme. Tu pourras ressentir l'affinité qui te lie à eux, tu le découvriras, tu vas jouir d'être avec eux.

Et vous aurez tous deux, chaque jour, des œufs frais et un coq qui chantera votre victoire et qui remerciera pour vous !

N'oubliez pas, mes âmes : tout ce qui est semé se récolte inévitablement, même à travers les éléments de la nature, les animaux et les plantes. Tout est relié. N'oubliez pas non plus que ce qui est acquis ne se perd jamais…

Un ami me bouscule…

(Silence.)

Lucien Hardy : Nous allons nous enivrer de joie et de la réussite avec vous. Vous avez travaillé fort pour en arriver là. Frère Placide, tu as appris comment on apprend. Je t'ai bien enseigné !

P. : Oh oui, j'ai été à la bonne école, celle de la foi – de la confiance et de l'assurance que tout ce qui est choisi en esprit se réalise dans la matière.

L.H. : Et toi, frère Michel, garde cet élan. Tous deux vous avez appris à comprendre combien vous êtes précieux ! Vous deviez passer à travers cette épreuve, vous aviez besoin de vous dépouiller pour recevoir davantage… Nous allons privilégier ces lieux où vous allez demeurer. Soyez heureux, soyez joyeux !

F. : Maintenant pour vous, tout va aller pour le mieux : le pire est passé. Manifestez dans la joie, la confiance et l'abondance. Gardez le cap, la vie vous sera fidèle autant que vous le serez. Maintenant, n'êtes-vous pas comblés ?

P. : Oui, nous avons enfin atteint le but que nous visions depuis 20 mois. Et ce qui se présente va au-delà de nos attentes. Nous avions raison de croire en vous, comme vous aviez raison de croire en nous. Merci, François,

Lucien, Thérèse, Maître Jésus et tous nos amis qui continueront de veiller sur nous !

F. : Voilà ! Chères âmes, nous vous apportons notre bénédiction, notre amour, notre amitié, beaucoup, beaucoup de paix et la sérénité dans le cœur, la joie de vivre, aussi de la lumière, et peu importent vos choix… (*tous trois simultanément*) choisissez d'être heureux, vous seuls en avez le pouvoir !

Troisième partie

Le centre, son rôle, ses activités

Le Centre Placide Gaboury propose un environnement propice au ressourcement et à la paix intérieure. Il offre un grand espace de verdure, avec un boisé épais, empreint de silence et accompagné d'animaux familiers, de sorte que ceux qui veulent se retrouver, se reprendre en main et se reconnecter à la Source pourront le faire à leur goût.

Les principales activités offertes

- Des entretiens les dimanches à 14 h de septembre à juin ;

- Une journée intensive deux fois par mois ;

- Des week-ends d'enseignement intensif deux fois par mois ;

- Des rencontres possibles à tout moment avec l'animateur ;

- Des rencontres musicales les dimanches après-midi, accompagnées d'un goûter.

De plus, on met à la disposition des visiteurs les archives contenant les articles écrits par l'auteur et sur son œuvre, ainsi que les comptes rendus de ses ouvrages, etc. Enfin, on pourra se procurer ses livres publiés aux Éditions Quebecor ainsi que certains autres ouvrages. Quant aux plus anciennes publications (de 1967 à 1985), elles seront à la disposition de ceux qui veulent les consulter.

Les thèmes des entretiens

- L'âme : sa nature, son destin
- Les lois cosmiques
- L'émerveillement
- Les émotions
- L'intelligence : l'âme ou le cerveau ?
- Le malheur et le bonheur
- Les âges de la vie
- La sérénité
- L'argent et le pouvoir
- La sexualité et l'amour
- Les pièges de la croyance
- La religion et la vie intérieure
- Le lâcher-prise

La présence de l'éducateur spirituel doit pousser le chercheur à découvrir sa nature profonde et son destin. Il est là pour que la personne en recherche se trouve elle-même et parvienne à se connecter à sa Source éternelle. Si l'instructeur retient, s'il soumet, s'il manipule, il fait obstacle à l'évolution de l'âme qui l'écoute. Cependant, si celle-ci revient sur l'expérience vécue avec ce faux maître, elle pourra en récolter de précieux éclairages sur sa propre crédulité, sur son manque d'autonomie et de discernement. Il n'y a pas d'accident sur la voie : tout peut servir de leçon. Il suffit d'être disposé à apprendre.

La personne qui cherche doit tout d'abord atteindre l'autonomie car, ce faisant, elle peut alors s'éduquer elle-même: elle devient son propre maître. C'est elle désormais qui parfait son éducation, en étant ce qu'elle avait choisi d'être avant de s'incarner. C'est même là le but de toute éducation – émotive, intellectuelle et spirituelle.

Toutefois, pour être autonome sur la voie, il ne s'agit pas d'être contre son passé, ses parents ou ses instructeurs religieux. Il s'agit d'être pour soi et son propre destin. En effet, il n'est pas libérateur d'être contre. Ainsi, la personne qui cherche peut lire des écrits, entendre des discours, consulter un maître, mais toujours pour créer sa propre synthèse et apprendre ainsi à se mieux connaître. Elle est là pour elle-même, non pour l'instructeur, tout comme celui-ci doit être là pour l'élève et non pour lui-même.

L'accompagnateur de l'âme doit bien faire comprendre qu'il n'est pas le vrai maître, que celui-ci est déjà en chacun et que c'est à chacun de le découvrir. Il peut aider cependant, en encourageant la personne qui cherche à mettre tout d'abord sa maison en ordre – à faire la paix avec son passé en pardonnant à tous ceux qui lui ont fait mal, en se pardonnant elle-même, en se rendant compte des ravages de l'émotion négative (peur, colère, culpabilité). Ceci permettra à l'âme de s'ouvrir, de connaître la paix et de se libérer.

Il suffit d'enlever ces blocages intérieurs pour que l'âme retrouve sa pureté, sa force et sa beauté. Car, une fois que l'espace intérieur est devenu aussi silencieux qu'un ciel étoilé, on se sent comblé par une paix qui demeurera malgré les remous de l'existence.

* * *

Les questions suivantes ont été posées par Pierre Marquis, un chercheur de grande compétence de l'Université Laval qui étudie présentement l'œuvre de l'auteur. Les réponses ont cependant été écourtées pour les besoins du livre.

- **Vous dites que l'on ne peut transmettre le vécu par l'écrit. Pourquoi alors écrire ?**

Je maintiens en effet que l'essentiel, c'est le vécu et non l'écrit. Je maintiens du même coup que ce vécu ne peut être transmis par écrit. Toutefois, c'est justement l'une des choses que l'écrit sert à dire aux lecteurs qui s'attacheraient trop aux textes et en attendraient leur libération.

Comme je dois souvent rappeler aux auditeurs et aux lecteurs qu'ils ne doivent pas dépendre de quiconque (pourtant, je leur dis et écris de m'entendre là-dessus !), je dois également rappeler que les écrits spirituels ne transforment pas l'âme – tout en disant cela à travers un livre ! Néanmoins, l'écrit peut stimuler chez le chercheur son discernement et sa compréhension – s'il sait lire entre les lignes. Un texte spirituel exprime l'expérience de l'auteur ; c'est le tracé d'un vécu qui ne se reproduit pas automatiquement du fait qu'on le lit dans un livre. Non, c'est l'expérience propre du lecteur et la leçon qu'il en tire qui le changeront – qu'il lise ou non de beaux livres spirituels. (Rappelons-nous que le grand sage spirituel que fut Krishnamurti n'a jamais lu les grands textes spirituels !)

Notre culture occidentale est abusivement livresque et mentale, alors que la vie intérieure n'a rien à voir avec les livres ou la parole. Il s'agit plutôt d'un vécu – comme manger, nager, danser, chanter, ressentir, baiser, respirer, admirer, rire, dormir, écouter –, toutes des choses qui se font sans livre ! Aussi, notre civilisation a-t-elle en grande partie perdu sa vie intérieure en faveur de ce qui est exprimé, que ce soit par le parler ou l'écrit. On se déverse tellement en dehors qu'on n'entend plus la voix intérieure.

Il y a cependant deux raisons qui justifient l'écrit spirituel, ce compte rendu d'une expérience de l'âme : il peut aider le lecteur à se reconnaître comme dans un miroir. De plus, l'expérience qui s'y trouve racontée peut encourager et stimuler à poursuivre sa quête. Elle peut aussi servir de mise en garde quant à certains pièges et excès. Toutefois, ce n'est pas le texte qui va nous éveiller à nous-mêmes, c'est en écoutant intérieurement la Source divine – qui parle à travers le corps, les expériences et le senti. À tout prendre, il est certainement plus utile pour l'âme de lire un récit spirituel qu'un roman ou un ouvrage scientifique !

- **La grande majorité des gens n'ont-ils pas besoin d'un maître ?**

Les êtres tels que Jean de la Croix, Maître Eckhart, Ignace de Loyola, Thérèse de Lisieux, François d'Assise, le Bouddha, Jésus, Ramana Maharshi et, bien sûr, Krishnamurti, n'ont pas eu besoin d'un maître extérieur et n'ont pas enseigné qu'il en fallait un. Du reste, il suffit de parcourir mon anthologie, *Un torrent de silence*, pour se rendre compte du nombre étonnant d'éveillés qui n'ont pas eu de maître visible !

Les êtres éveillés apparaissent de temps à autre pour rappeler le sens de la vie, la raison de notre venue sur terre et les moyens de réaliser son destin. En effet, les humains ont besoin de se faire constamment rappeler – face au puissant barrage de pressions et de propagandes – que c'est en chacun que se trouve la lumière directrice, puisque l'âme prend racine dans le divin. Toutefois, comme ils se laissent éblouir par le messager au point d'oublier le message, ils restent figés dans des soumissions infantiles – ce qui justement fait partie des obstacles à dépasser. C'est du reste ce qui se fait chez l'enfant qui, ayant adoré ses parents, saura un jour distinguer chez eux le messager du message, en devenant lui-même son propre maître.

Dans le cheminement de l'âme, il n'y a pas comme telles de foules, de masses ou de communautés organisées ; c'est toujours une âme individuelle qui fait son évolution. Il faut donc que chacun dans cette foule arrive à trouver son propre chemin, car il y autant de chemins que d'individus. C'est justement à l'égard des foules, des autorités extérieures et des institutions bien cossues qu'on doit devenir autonome, car on ne peut en attendre aucun éveil intérieur. Or, il est important de le signaler, seuls ceux qui sont autonomes et branchés sur la Source intérieure reconnaîtront la famille des êtres libres à laquelle ils appartiennent désormais. Et c'est une fois devenu conscient et connecté à cette Source que l'on peut vraiment aider les individus de la foule, par l'énergie, par l'intention, par la prière et par une compassion qui rayonne.

On ne peut donc s'attendre à ce que d'elle-même la masse s'éveille, et aucun des maîtres cités ne l'a supposé. Leur message qui s'adressait à tous n'était cependant capté que par ceux qui voulaient écouter. Ils savaient très bien que la foule déformait tout et rendait opaque ce qui était lumineux. Leur message était une invitation qui cependant laissait chacun libre et c'est pour cela d'ailleurs que les foules, qui cherchent plutôt à dépendre, sont passées à côté du message. Étant passives, elles veulent être libérées par quelqu'un d'autre – un maître maternant –, plutôt que d'avoir à le faire elles-mêmes.

Par conséquent, elles ne parviennent jamais à produire des individus autonomes.

Pourtant, à l'intérieur de chacun, l'énergie divine appelle et secoue afin de nous inviter à la croissance. L'attraction est continuelle, et il suffirait d'ouvrir notre cœur – ou seulement de consentir, de vouloir, de désirer !

- **En ces temps de confusion entre les nombreux systèmes de croyance, que pourrait-on dire à ceux qui veulent être autonomes ?**

Pour devenir autonomes, il faut tout d'abord reconnaître que nous ne le sommes pas, que nous dépendons d'un organisme religieux, de la publicité, de la mentalité du milieu, de sa famille ou de préjugés à la mode. L'esprit a besoin de quitter ce barrage de bruits inutiles. Savoir dire non à beaucoup de choses qui semblent aller de soi. Écouter notre cœur, respecter nos goûts, suivre nos intuitions. Arrêter d'imiter la foule, de se soumettre aux dictats de toutes les formes d'autorité. Celles-ci ne peuvent nous apprendre à vivre, à nous retrouver, à devenir nous-mêmes. Au contraire, il faut boucher l'entrée à toute propagande qui nous arrive par le son et par l'image. Car ces pouvoirs cherchent tous à nous ravir notre autonomie – à nous rendre tout d'abord dépendants et robotiques.

On n'est libre de se servir de tout cela qu'une fois qu'on s'en est libéré.

Bien sûr que, dans le monde d'aujourd'hui, tout est à notre disposition, et cela va en grandissant. Mais justement, si tout est à notre portée, tout n'est pas à prendre. Il faut beaucoup de discipline et de discernement pour ne pas nous y perdre. C'est là que nous voyons que l'auto-éducation est la seule véritable éducation, et qu'elle dure toute la vie. Or, personne ne nous aidera à l'entreprendre ou à la poursuivre : cela ne peut venir que de nous-mêmes. Il faut écouter le cœur plus que la tête, car l'intellect est ici un piège. Il ne peut nous libérer. C'est ce que nous sentons qui importe.

> Il est capital de comprendre que ce que l'on ressent, ce que l'on vit et ce que l'on expérimente est autrement plus important que ce que l'on sait, ce que l'on pense ou ce que l'on croit.

Table des matières

Deuxième partie
Dialogues avec les êtres de lumière
(messages reçus de novembre 2005 à juin 2007)

Troisième partie
Le centre, son rôle, ses activités